Nous remercions le Conseil des Arts du Canada,
le ministère du Patrimoine canadien et la SODEC
de l'aide accordée à notre programme de publication.

 Patrimoine   Canadian
canadien   Heritage

Logo de la collection et maquette de la couverture :
Sv Bell

Illustration de la couverture :
Sylvain Trudel

Édition électronique :
Infographie DN

DANGER
LE PHOTOCOPILLAGE
TUE LE LIVRE

Dépôt légal : 3e trimestre 2000
Bibliothèque nationale du Canada
Bibliothèque nationale du Québec

123456789 AGMV 0543210

NON-RETOUR

Données de catalogage avant publication (Canada)

Chabin, Laurent, 1957-

    Non-retour

    (Collection Chacal ; 11)
    Pour les jeunes de 12 ans et plus.

    ISBN 2-89051-770-5

    I. Titre   II. Collection

PS8555.H17N66 2000   jC843'.54   C00-940944-0
PS9555.H17N66 2000
Pz23.C42No 2000

NON-RETOUR

Laurent Chabin

roman

ÉDITIONS
PIERRE TISSEYRE

5757, rue Cypihot, Saint-Laurent (Québec) H4S 1R3
Téléphone: (514) 334-2690 – Télécopieur: (514) 334-8395
Courriel: ed.tisseyre@erpi.com

DU MÊME AUTEUR
AUX ÉDITIONS PIERRE TISSEYRE

Collection Sésame
Tibère et Trouscaillon, 2000.

Collection Papillon
Serdarin des étoiles, 1998.
Le collectionneur de vents, 1999.

Collection Conquêtes
Wlasta, 1998.

Aux Éditions du Boréal
Le peuple fantôme, 1996.
Le rêveur polaire, 1996.
Chasseurs de rêves, 1997.
L'œil du toucan, 1998.
Le chien à deux pattes, 1999.

Aux Éditions M. Quintin
Une vie de fée, 1996.
L'argol, et autres histoires curieuses, 1997.
Terra Nova, 1998.

Aux Éditions Hurtubise
L'assassin impossible, 1997.
Piège à conviction, 1998.
L'araignée souriante, 1998.
Sang d'encre, 1998.
Zone d'ombre, 1999.

Aux Éditions Héritage
Silence de mort, 1998.

1

L'affaire WWF

Un des cas qui occupent le Bureau, en ce moment, c'est l'affaire WWF. Western Wild Food. Dans les couloirs, tout le monde en parle à voix basse, en faisant semblant d'être au courant et d'en savoir un peu plus long que les autres.

Une affaire assez anodine, à première vue, même si elle peut sembler bizarre. Ça fait pourtant plus de quarante ans que la Western Wild Food a fermé ses portes et a disparu de la circulation. Une firme de Calgary, loin dans l'ouest du pays, qui n'aurait jamais dû faire parler d'elle à Toronto, surtout aujourd'hui.

La WWF, si je me souviens bien, fabriquait des produits alimentaires à la mode, au tout début de ce siècle. Des produits beaucoup moins chers que tous ces aliments d'origine animale dont on se nourrissait presque exclusivement à l'époque. La Western, filiale d'une grosse firme du secteur pétrolier, les élaborait à partir des résidus de l'exploitation des sables bitumineux du nord de l'Alberta.

Cette entreprise, qui aurait dû connaître un énorme succès commercial, avait été confrontée alors à toute une série de problèmes, entre autres à cause des Européens et des écologistes.

Ceux-ci prétendaient que ces aliments, d'origine entièrement artificielle, étaient susceptibles de causer des maladies inconnues ou de provoquer des mutations incontrôlables chez les consommateurs.

Ridicule, bien sûr. Comment des produits entièrement conçus à partir de matières inertes et dans des conditions d'hygiène draconiennes pouvaient-ils présenter la moindre nocivité ? Il s'agissait bien évidemment de manœuvres commerciales de l'Europe en vue de nous interdire l'accès au marché européen, le plus gros de l'époque.

L'ennui, c'est que les médias leur avaient emboîté le pas et que tout un tas d'associations de consommateurs et de défenseurs de la nature avaient commencé à s'acharner sur la WWF.

Aujourd'hui que la WWF a fermé boutique, d'autres sociétés ont pris le relais. Mais elles travaillent plus discrètement et les consommateurs, quand ils s'alimentent, ne savent pas exactement ce qu'ils mangent, ou, du moins, quelle est la *provenance* de ce qu'ils mangent.

Ces sociétés, au Canada, se trouvent principalement dans l'ouest du pays, et tout particulièrement à Calgary. Historiquement, ça se comprend. Quand le pétrole albertain a été presque épuisé, dans les années 2020, et que les nouveaux gisements sibériens et chinois, immenses, ont inondé le marché, l'exploitation des sables bitumineux du nord de l'Alberta a perdu toute rentabilité, et cette province, en quelques années, est tombée dans un tel état de décrépitude qu'il n'y reste plus aujourd'hui qu'un demi-million d'habitants.

Ça aurait pu me faire un peu mal au cœur puisque c'est là que je suis né, il y a tout juste quarante-trois ans. C'était en 2001, au lendemain d'une année de farce où la moitié du monde avait attendu qu'il se passe quelque chose et où, comme d'habitude, il ne s'était rien passé...

À la fin des années 2020, donc, il ne restait guère en Alberta que des paysans et des éleveurs qui survivaient médiocrement grâce à des subventions de plus en plus maigres, écrasés par la concurrence des Russes et des Sud-Américains dont les économies avaient enfin progressé.

L'Alberta n'avait alors dû sa survie qu'au développement d'une activité en plein essor, bien qu'assez mal vue du public : le stockage/recyclage des déchets industriels. De partout arrivaient, par millions de tonnes, par trains et par camions, les rebuts les plus divers, certains toxiques au dernier degré.

Une industrie nouvelle s'était bâtie sur cette ordure et sur les ruines de la WWF : la fabrication d'aliments de consommation de masse. Les déchets du monde entier s'y déversaient puis repartaient, traités, parfumés et colorés, emballés dans de jolies boîtes de compléments alimentaires pour bébés qui connaissaient un succès phénoménal sur les cinq continents.

C'est à la même époque qu'avait été créé le BSIA (Bureau de surveillance des industries alimentaires), dont je suis aujourd'hui un des agents spécialisés. Il ne faut pas croire pour autant que le gouvernement s'était montré soudainement soucieux de la santé des consommateurs. Là n'était pas le rôle du Bureau, au contraire. Des citoyens en bonne santé font une mauvaise santé à l'économie : les laboratoires et toutes leurs industries corollaires pèsent lourd dans la balance ; les amoindrir, c'est la récession assurée.

La raison d'être du Bureau, c'était, à l'inverse, de tout mettre en œuvre pour contrôler et protéger les nouvelles industries alimentaires contre la presse et les associations qui avaient été fatales à la Western Wild Food.

Aujourd'hui, notre mission n'a pas changé. Le BSIA, institution dont la puissance s'est extrêmement accrue au cours de ces dernières années, veille plus que jamais à ce que l'approvisionnement en matières premières, l'élaboration et la commercialisation des aliments fabriqués dans les usines de traitement de déchets industriels se fassent efficacement et discrètement.

Notre rôle, entre autres, est de maintenir le plus grand secret autour de ces activités, au besoin en faisant circuler de la fausse information. Il faut dire que nos ennemis les plus dangereux sont les journalistes indépendants – eh oui, il en existe encore ! – qui nous surveillent sans arrêt. Le plus délicat est que ces journalistes, dont les émissions télévisées ou diffusées électroniquement connaissent un énorme succès, sont pour cette raison même commandités par les industriels eux-mêmes qui en sont la cible ! La marge de manœuvre de chacun – et tout particulièrement celle du BSIA – est donc extrêmement étroite.

C'est pourquoi un événement qui vient de se produire récemment inquiète grandement les hauts responsables du Bureau. En rasant d'anciens entrepôts ayant appartenu à la Western Wild Food, à Calgary, une entreprise de démolition vient de mettre au jour une sorte de cave profondément enterrée, totalement hermétique et équipée

d'un circuit complet de surveillance électronique et, curieusement, totalement vide.

Enfin, totalement, pas tout à fait, justement… Dans la cave se trouvaient deux
cadavres. Les cadavres de deux jeunes
femmes d'environ vingt-cinq ans. Date de
la mort, selon les experts : 2001. Mais le
plus intéressant n'est pas là. C'est la cause
de la mort, qui est peu ordinaire. Car, selon
ces mêmes experts – rien n'étonne ces
gens-là ! –, ces jeunes personnes seraient
mortes… de vieillesse !

2

La mission

Robert Planck m'a fait appeler. Urgent, il a dit. Je suppose que c'est pour l'affaire WWF. Je me pointe en vitesse, sachant qu'il n'aime pas attendre.

À ma grande surprise, en entrant dans son bureau, je m'aperçois que Sonia est déjà là. Ça me met de mauvaise humeur. Non que je n'aime pas Sonia, au contraire. C'est une fille super. Très jeune. Vingt-cinq, trente ans, peut-être. Rapide, efficace. Discrète. Trop, peut-être… S'il s'agit de nous affecter à une nouvelle mission, pourquoi n'ai-je pas été convoqué en premier ? C'est moi le numéro deux, maintenant ?

Je m'assois bruyamment en les saluant d'un grognement. Sonia me répond de son sourire le plus ravageur. Robert attaque aussitôt :

— Nemo, nous allons avoir besoin de toi. Une enquête un peu spéciale.

Je grommelle quelque chose d'inintelligible. J'ai horreur qu'on m'appelle par mon prénom. C'est un prénom importable. Nemo ! Pourquoi pas Aladin ou Bambi... Je crois que si j'avais connu ma mère, je lui en aurais voulu toute ma vie. Heureusement pour elle, ce n'est pas le cas. Elle est morte juste après ma naissance, en ne me laissant rien d'autre que ce nom à coucher dehors. Quant à mon père, je n'ai jamais rien su de lui, si ce n'est qu'il a disparu et qu'il portait, lui aussi, ce nom absolument ridicule : Nemo Higgs.

La voix coupante de Robert me rappelle à la réalité :

— Tu es au courant, je suppose, de l'intéressante découverte qu'on vient de faire dans les anciens entrepôts albertains de la Western Wild Food ?

— Deux jeunes filles mortes de vieillesse dans une cave ! Merci, je vois que tu connais mes goûts...

Ce genre d'humour n'a pas l'air de dérider Sonia, qui regarde distraitement le bout de ses chaussures. C'est une des choses que j'aime le plus chez elle. Ses chaussures. De vraies chaussures, fines, élancées, pas de ces écrase-crottes comme en portent tous ces gens qui n'ont jamais mis les pieds dans un stade mais qui veulent absolument avoir l'air de sportifs.

— Mortes de vieillesse, en effet, reprend Robert, qui se fiche pas mal des chaussures de Sonia. Généralement, bien sûr, ça m'est égal de savoir de quoi meurent les gens. Mais deux filles meurent de vieillesse dans un labo ultrasecret de la Western Wild Food, là je m'inquiète.

— Ça fait pourtant des années que cette société n'existe plus, non?

— Elle n'existe plus, mais ce qu'elle a créé est toujours à la base de toute une partie de l'économie actuelle. Toutes les compagnies qui fabriquent aujourd'hui des aliments pour bébés à partir de déchets industriels utilisent les techniques mises au point par la WWF. Des techniques parfaitement rodées. La seule erreur de la WWF a été de s'en vanter. Elle n'y a pas survécu. Mais toutes les autres, celles qui nous font vivre depuis des années, sont sur la corde raide. Un faux pas et elles se cassent la figure.

— Mais quelle menace peuvent représenter ces filles, puisqu'elles sont mortes ?

— Qu'elles soient mortes nous importe peu, c'est vrai, répond Robert. Mais *de quoi* sont-elles mortes, voilà le problème. Si un de ces fouille-merde qui nous harcèlent vient à entendre parler de l'affaire, ce qui n'est pas impossible vu qu'ils emploient des méthodes aussi peu morales que les nôtres et que nous noyautons mutuellement nos organisations, nous allons nous retrouver dans un joli pétrin. Je vois les titres d'ici : « Des expériences secrètes sur des cobayes humains », « Une maladie foudroyante provoquée par l'absorption des aliments Western », « La mort dans nos assiettes », etc. Inutile de te faire un dessin.

— Je ne comprends toujours pas. Ces morts me semblent assez inexplicables, en effet, mais elles sont uniques en leur genre. On n'a jamais relevé de cas de vieillissement accéléré de ce type. Or, s'il n'y a pas d'autres victimes, il n'y pas de plaintes, donc pas de problème.

— C'est là que tu te trompes, Nemo. La plus insidieuse des maladies, ce n'est pas celle qui fait des victimes. Celle-là, justement, on peut la soigner, faire de la recherche, inventer des traitements et des médicaments, bref, générer des profits. Mais la pire, la plus sournoise, la plus dangereuse, c'est la maladie imaginaire. Impossible à cerner, impossible à définir, impossible à exploiter. C'est la menace à l'état pur, celle qui peut déclencher les paniques les plus inattendues, déstabiliser la bourse, ruiner une économie entière... Une campagne d'information – ou de désinformation, ce qui est à peu près la même chose – savamment orchestrée autour d'un fait divers bien croustillant peut avoir des conséquences incalculables.

— Qu'est-ce que j'ai à voir là-dedans, alors ? Ces filles étant mortes depuis quarante-trois ans, c'est maintenant l'affaire des documentalistes, des archivistes. Je suis un homme de terrain, tu le sais bien, pas un rat de bibliothèque.

— Il ne s'agit pas d'éplucher des papiers et des rapports jaunis, Nemo. Nous avons besoin de savoir ce qui s'est passé sur place, très vite et… *en temps réel.*

— Tu ne veux pas dire que…?

— Si. Un voyage dans le temps sera nécessaire. À Calgary, et en l'an 2000. Vous enquêterez là-bas et vous vous laisserez porter jusqu'à 2001, avant de revenir ici.

— Ça n'a pas de sens, voyons. Tu sais très bien que ces voyages dans le temps ne sont pas vraiment au point, et surtout qu'il est impossible de modifier le passé en quoi que ce soit. Ce serait trop beau si on pouvait aller rectifier les gêneurs au berceau !

Les voyages dans le temps, c'est vrai, s'ils ont fait beaucoup parler d'eux au début, n'intéressent plus grand monde aujourd'hui. D'abord, le voyage ne peut se faire que dans un seul sens : le passé. On peut revenir à son point de départ, d'accord, mais, l'avenir *n'existant pas,* il n'est pas possible de s'y rendre. Logique…

Par ailleurs, le fait que le voyageur du temps ne puisse exercer aucune influence sur les événements du passé, qu'il ne peut revivre qu'en spectateur, a rendu le procédé inutile pour l'armée comme pour l'industrie. Il n'est donc attrayant que pour les rêveurs ou les historiens, mais, depuis que ces derniers ont vu leurs subventions définitivement supprimées, ni les uns ni les autres n'ont évidemment les moyens de s'offrir ce genre de croisière.

Les voyages dans le temps ne présentant aucun intérêt économique, seuls les États assez riches peuvent donc se les permettre. Or, si un État est riche, c'est justement parce qu'il ne gaspille pas ses ressources avec des fantaisies de ce genre...

De plus, si remonter le temps ne rapporte rien, cela peut néanmoins être dangereux. Un visiteur venu du futur, s'il ne peut agir sur le passé dans lequel il évolue, peut cependant s'y faire blesser ou tuer : puisqu'il vient de l'avenir et que, par conséquent, il *n'existe pas,* sa suppression ne saurait en rien bouleverser la bonne marche du temps !

Résultat : le dernier voyage dans le passé officiellement répertorié a eu lieu il y a trois ans, juste avant que les programmes « Espace-Temps » soient mis au placard pour une durée indéterminée.

21

Ce voyage d'adieu, en quelque sorte, j'en faisais justement partie.

Que Robert Planck me parle maintenant d'une nouvelle mission de ce genre me paraît donc pour le moins surprenant. Je jette discrètement un coup d'œil à Sonia, qui ne semble toujours préoccupée que par le bout de ses chaussures. Avec raison, me dis-je en moi-même.

Autre chose me chiffonne. Planck a dit : « Vous enquêterez là-bas et vous vous laisserez porter jusqu'à 2001, avant de revenir ici. » *Vous.* Sonia et moi, je suppose. Mais alors, pourquoi Robert vient-il de prendre la peine de m'expliquer l'affaire tandis que Sonia a déjà l'air, si j'en juge par son attitude, parfaitement au courant ? Ça ne peut vouloir dire qu'une chose : je ne serai pas le chef de cette mission, je ne serai que le complice, le faire-valoir, le chaperon de mademoiselle Sonia ! J'ai donc vieilli tant que ça ?

— Franchement, Robert, finis-je par dire dans un mouvement d'impatience, qu'est-ce que tu attends de moi dans ce genre de mission ? Filer deux gamines pour savoir ce qu'elles fricotaient avec la WWF et pourquoi elles ont fini dans ses caves, et revenir ici pour te faire un rapport?

— La mission est plus compliquée que ça, fait-il après s'être raclé la gorge. Mais c'est Sonia qui s'en occupera. Ton rôle sera davantage… logistique.

— Je comprends, dis-je avec une grimace. Je porterai sa valise et m'occuperai de louer une voiture et une chambre d'hôtel une fois sur place…

— Ne fais pas ta vieille chouette offusquée, Nemo. Tu l'as dit toi-même, tu es un homme de terrain. C'est ça qui nous intéresse dans le cas qui nous occupe. Sonia assurera la partie technique. Elle prendra contact avec ces filles, tâchera de savoir ce qui s'est passé exactement et, en fonction de ce qu'elle aura appris, elle montera un scénario qui nous convienne et pour lequel elle sèmera des traces que nous pourrons retrouver aujourd'hui et qui nous permettront de donner à cette affaire le sens qui nous arrange.

— Mais pourquoi tout ce mal pour quelque chose qui est arrivé il y a presque un demi-siècle?

— Je te l'ai déjà expliqué. La concurrence sur le marché des produits alimentaires premier âge est féroce. Toute une partie de notre économie repose sur ce secteur dans lequel nous sommes actuellement le leader. Mais l'Europe et l'Asie nous talonnent. Ce simple fait divers, monté en épingle, peut jeter le discrédit sur toute notre production. On nous accusera d'avoir tenté d'empoisonner la planète et nous risquons tout simplement de perdre la moitié de nos marchés étrangers. Autant dire la fin de ce pays…

— Admettons. Cependant, il y a autre chose. On ne peut pas modifier quoi que ce soit du passé, nous sommes bien d'accord, mais ce n'est pas tout. Ces indices, photos, faux documents ou quoi que ce soit que tu veux que Sonia te rapporte, tu sais parfaitement qu'ils ne supporteront pas le voyage dans le temps. Nous, partant du présent, pouvons y revenir. Mais ces objets, conçus dans le passé, en 2001, ne pourront pas revenir ici et maintenant puisque, pour eux, il s'agira de l'avenir. Ils se volatiliseront en route. Ton plan est voué à l'échec, mon vieux !

Robert ne se départ pas de son demi-sourire. Mais il ne dit rien. Cette fois c'est Sonia, à qui il vient de faire un signe, qui semble se réveiller et entrer enfin dans le jeu. Elle déplie lentement ses longues jambes, me fixe de son regard déshabillant et commence d'une voix à la fois grave et chaude :

— Nous avons pensé à tout ça, Nemo. Nous savons qu'on ne peut rapporter du passé que ce qu'on y a apporté. Nous procéderons plus finement. Je monterai tout le dossier sur place, avec photos, coupures de presse, confessions, comptes rendus de recherche… Tout cela sera bien réel. Et, avant de revenir, je placerai ce dossier dans une planque où nous n'aurons plus qu'à le récupérer, une fois de retour ici. Un dossier en or, vieilli naturellement, qui montrera que ces imprudentes personnes – des anarchistes, sans doute – sont mortes d'avoir voulu prouver qu'on pouvait se passer des produits WWF, les aliments de l'éternelle jeunesse.

Sonia me sourit, comme si elle venait de m'en raconter une bien bonne. La force de cette fille, c'est de ne pas avoir l'air de ce qu'elle est : mannequin préoccupé presque exclusivement par ses ongles de pieds. Mais Sonia Heisenberg est aussi docteur en physique quantique et en biologie moléculaire, et joueuse comme une chatte...

J'en reviens à mon rôle dans cette affaire. M'occuper des chambres d'hôtel ? Bah, s'il n'y a plus qu'une seule chambre de libre, ça pourrait faire mon affaire. C'est un canon, Sonia ! Un voyage d'agrément, en somme. Et puis, surtout, il y a autre chose, et qui me tient autrement à cœur : je vais revoir Calgary...

3

Voyages dans le temps

Calgary. Ça fait quarante ans que je n'y ai pas mis les pieds. J'y suis né en 2001 et j'ai quitté la ville trois ans plus tard. Je n'étais pour rien dans cette décision, bien sûr.

Dans mon dossier, auquel j'ai eu accès lorsque j'ai eu dix-huit ans, j'ai appris qu'une nommée Rose Selavy, ma mère, m'avait abandonné à l'âge de trois mois avant de disparaître définitivement.

Je me suis longtemps demandé ce qui avait pu se passer. Mon dossier est muet sur ce point. Ma mère n'était pourtant pas le genre de fille paumée dont les œuvres non désirées peuplent les orphelinats. Diplômée en chimie organique, elle avait étudié en Europe, puis à Toronto, avant de revenir en Alberta s'occuper de recherche pour le compte des cultivateurs du sud de la province. Une idéaliste, sans doute, parce que, même à l'époque, ça ne devait plus rapporter des fortunes, le blé albertain.

Elle avait vingt-cinq ans lors de ma naissance. Et ensuite ? Accident, crime crapuleux ? Non, on aurait retrouvé son corps. Le Canada, à l'époque, était un pays propre et bien ordonné. On n'y perdait pas un cadavre comme ça, sans que ça se remarque. Alors, comment avait-elle disparu sans laisser de traces ? Et pour quelle raison ?

Le cas de mon père, lui, est encore plus énigmatique. Aucune donnée sur son état civil, ses origines, ses études. Un nom. Un simple nom qui est aussi le mien : Nemo Higgs. Je suppose qu'en m'appelant ainsi ma mère avait voulu lui rendre hommage. Mais qui était-il, d'où venait-il ? Et où avait-il disparu, lui aussi, et pourquoi ? Avaient-ils fui ensemble en m'abandonnant ? Étaient-ils tout simplement morts dans un même accident, victimes d'un même attentat ?

Adolescent, je n'avais pas encore réfléchi à tout ça. Je leur en voulais simplement à tous les deux de m'avoir jeté dans ce monde et de m'y avoir abandonné, alors que je n'étais pas encore en âge de me défendre. Puis j'avais tiré avec mépris un trait sur ce souvenir pénible, et j'avais oublié.

Ce n'est que des années plus tard que j'ai eu le sentiment d'avoir fait une erreur et qu'il y avait dans cette double disparition autre chose qu'un simple fait divers, qu'une sordide petite histoire de mœurs à ajouter aux autres.

Ensuite, quand j'ai commencé à travailler pour le BSIA et que j'ai eu la possibilité d'accéder à des documents de plus en plus confidentiels, l'envie m'a souvent pris d'entreprendre des recherches sur mes parents. Non qu'il me manque quelque chose d'un point de vue affectif ou sentimental, je ne suis pas du genre à me poser des questions du style : D'où est-ce que je viens ? Où est-ce que je vais ? Quelles sont mes origines ? C'est plutôt une curiosité d'enquêteur qui me poussait à l'époque, un réflexe professionnel : quelle énigme, quelle machination, quel complot avait pu conduire à l'élimination pure et simple de mes géniteurs?

Et puis, avec le temps, cette question était devenue une obsession. Il n'y avait en effet plus de doute pour moi. Mes parents ne s'étaient pas enfuis, chacun de son côté, pour échapper à leurs responsabilités parentales. Ma mère n'avait pas ce profil, je l'ai déjà dit. Quant à mon père, l'absence complète du moindre signe d'existence, avant et après sa rencontre avec ma mère, ne pouvait signifier qu'une chose: il avait été éliminé physiquement, intégralement, lui et toute trace ayant pu témoigner qu'un certain Nemo Higgs avait vécu quelque part aux alentours de l'an 2000. Qui était-il donc pour justifier un traitement aussi radical?

De fait, mes recherches sur la disparition de mes parents n'ont jamais abouti. J'avais fini par en prendre mon parti, jusqu'à ce que Robert Planck me convoque dans son bureau, ce matin, à propos de l'affaire WWF.

Je n'ai pas hésité longtemps. Au départ, pourtant, j'étais mortellement vexé: qu'il ait monté toute l'affaire dans mon dos avec Sonia et qu'il m'appelle ensuite, moi, comme un simple comparse, pour des raisons «logistiques», il y avait de quoi être furieux. Mais le sourire ravageur de Sonia, ses chaussures, peut-être, le nom de Calgary et, surtout, cette date fatidique : 2001…

Pour la forme, j'ai gardé mon air bougon en quittant le bureau de Planck, après avoir demandé quelques heures de réflexion. Mais ma décision était prise. Les cadavres dans les caves de la WWF, Sonia s'en occuperait puisque c'était *sa* mission. Moi, mon rôle de garde du corps me laisserait, je suppose, le temps d'effectuer ma propre enquête. Calgary en l'an 2000, même si on pouvait s'y procurer des armes assez facilement, n'était pas Chicago. Ce serait une vraie villégiature. Et sinon, je pourrais toujours lui fausser compagnie.

Retrouver un nommé Nemo Higgs dans une ville comme Calgary au début de ce siècle, ça ne devrait pas poser d'énormes problèmes. C'était, semble-t-il, une ville assez bien organisée à l'époque. Il y avait du pétrole, donc de l'argent, donc du bonheur. Du bonheur pour ceux qui baignaient dans le pétrole, bien sûr. Les autres, c'était comme aujourd'hui, j'imagine : on n'en parlait pas.

Le plus simple serait sans doute de retrouver ma mère puisqu'elle exerçait une profession définie, dans un secteur déterminé. Simple routine. Ensuite, tôt ou tard, mon père apparaîtrait dans les environs et je mettrais la main dessus. Et je saurais enfin…

La mission, d'après Robert, nous enverrait à Calgary en juillet 2000 et durerait un an. Ce serait amplement suffisant pour moi. Trop, même, mais le temps n'est pas compressible. C'est d'ailleurs une des raisons qui ont rendu ces voyages dans le temps d'un maniement un peu lourd.

Le voyageur, comme je l'ai déjà dit, ne peut exercer aucun contrôle sur la durée de son voyage. Il ne peut ni l'écourter ni l'allonger. Il est catapulté vers une date précise, pour une durée qui n'est plus modifiable après le lancement et dans laquelle il dérive selon les règles du temps « local ». Après quoi, il se retrouve subitement à son point de départ temporel, qu'il ait ou non terminé sa mission. Du point de vue du lanceur, évidemment, le voyage est instantané. Le voyageur, pour lui, n'a même pas le temps de disparaître. Il est là, il est toujours là, sans solution de continuité perceptible, même s'il a le «temps», pendant ce non-instant, de vivre une autre tranche de vie dans un ailleurs passé.

L'avantage est évident. L'enquête la plus longue ne dure qu'un clin d'œil. L'inconvénient, en revanche, est le coût de l'opération et ses résultats aléatoires, puisque les enquêteurs envoyés dans le passé ne peuvent pas le modifier. C'est là d'ailleurs le point faible de la théorie de Sonia, à mon avis. Je le lui ai dit, quand nous sommes sortis ensemble du bureau de Robert :

— Je ne suis pas sûr que tes manipulations fonctionnent, Sonia. Ce fameux dossier «arrangé» que tu veux monter de toutes pièces. Il s'agira, que tu le veuilles ou non, de modifications apportées au passé. Elles resteront donc probablement sans effet. Si ces documents n'existent pas aujourd'hui, ils ne surgiront pas du vide parce que tu te seras livrée à quelques trafics au cours de l'enquête. De retour ici, tu trouveras ta planque vide.

— Qui te dit que ces documents n'existent pas déjà, *maintenant* ? m'a-t-elle alors répondu avec son sourire habituel. Si je les ai créés dans le passé, en m'y rendant, puis dissimulés dans un coffre ou une cachette quelconque, ils doivent donc s'y trouver encore au moment même où je te parle. Ils *sont là,* ils nous attendent.

— C'est invraisemblable, voyons. Qui t'empêche de t'y rendre aujourd'hui, à cette fameuse cachette ? N'étant pas encore allée dans le passé, n'ayant rien préparé, tu ne trouverais rien du tout.

— Mais je ne peux pas le faire maintenant. Où irais-je ? Je ne sais pas encore où se trouve ma cachette, ni même à quoi elle ressemble. Je ne prendrai cette décision que sur place, en temps voulu, et je choisirai alors un lieu dont je sais parfaitement qu'il existera encore en 2044.

— Je ne comprends pas. Tu veux dire qu'il se trouve réellement quelque part, en ce moment, un dossier caché par toi-même depuis quarante-trois ans sans que personne n'en soupçonne l'existence ?

— Exact.

— D'accord. Admettons. Mais suppose maintenant que l'opération soit annulée, ou que le voyage se passe mal et que tu te fasses tuer avant d'avoir pu faire quoi que ce soit. Qu'en sera-t-il de ton petit message pour le futur puisque tu n'auras pas pu le déposer dans sa cachette ? Qui l'y aura mis ?

— Personne, puisque dans ce cas il n'existe pas.

— Tu te contredis. Tu viens de me dire mot pour mot que ces documents *sont là, qu'ils nous attendent* !

— Oui, bien sûr, mais seulement en cas de réussite de la mission. Il est évident que si celle-ci échoue ou n'a pas lieu, il n'y a pas plus de documents que de cachette ici et en ce moment.

— C'est aberrant, Sonia ! C'est du délire ! Comment veux-tu me faire croire que quelque chose existe et n'existe pas en même temps ? Tu me prends pour un imbécile ! Et tu es physicienne, avec ça !

— Justement, Nemo. Je sais de quoi je parle, même si ça peut te sembler bizarre.

La physique *est* bizarre. Elle ne consiste plus depuis longtemps à jouer avec des ressorts, des pendules et des bouts de fils électriques. Quand on en arrive aux ultimes limites de la matière, on s'aperçoit que tout ce qu'on sait, c'est qu'il est impossible de savoir. On ne peut que proposer quelques modèles approximatifs, qui seront rendus caducs par les suivants.

Dès qu'elle parle de son métier, Sonia se laisse emporter par sa passion et il devient difficile de la suivre. Son discours était génial, sans doute, mais il ne m'avançait pas beaucoup. Il ne m'expliquait pas comment ses documents pouvaient être et ne pas être au même moment. Je me demandais si elle ne cherchait pas à me noyer sous un flot d'explications fumeuses pour que je la laisse tranquille. Mais il n'en était pas question.

— Je ne suis pas physicien, Sonia, lui ai-je dit. Je ne suis qu'un imbécile quelconque et je ne vois qu'une chose : tu essaies de me faire gober des balivernes, avec tes objets qui vont et viennent et qui n'existent que quand on en a besoin.

Elle a semblé étonnée. Puis elle m'a fixé de ses yeux noirs et a repris son masque légèrement ironique avant de poursuivre :

— Tu as raison. On arrête tout et on recommence. Tu connais le paradoxe du chat dans la boîte ?

— Je ne connais ni chat ni paradoxe.

— Bien. Voilà de quoi il s'agit. Schrödinger…

— Qui ?

— Schrödinger, un physicien mort il y a plus de quatre-vingts ans. Mais un malin. Il avait imaginé de placer un chat dans une boîte munie d'un hublot et d'un système capable de tuer le chat avec une probabilité de cinquante pour cent dans la minute suivant l'enfermement. La question était la suivante : la minute étant écoulée, dans quel état se trouve le chat, juste avant que l'observateur ne regarde par le hublot ?

— C'est idiot. Vivant ou mort, non ? Soit l'un, soit l'autre, c'est du simple bon sens.

— Erreur. De toute façon, ce n'est pas le bon sens qui explique le monde, mais la physique. Et la physique quantique nous dit qu'avant de voir à l'intérieur de la boîte, le chat n'est pas mort *ou* vivant, mais mort *et* vivant. C'est le regard de l'observateur dans le hublot qui détermine l'état du chat.

— C'est fou, voyons ! Alors tu prétends que, quel qu'ait été le résultat du fonctionnement de la machine de mort, c'est le regard de ton physicien qui a véritablement tué le chat ou, au contraire, l'a épargné ?

— C'est exact. Fortement probable, en tout cas. Sans ce regard, il n'y a pas de réalité prédéterminée. La réalité, d'ailleurs, n'est en fait qu'un nuage de probabilités. Dans le cas qui nous occupe, c'est un peu la même chose. Les documents sont-ils oui ou non dans leur cachette ? Tout ce qu'on peut affirmer, c'est que c'est seulement en allant les y chercher que nous le saurons. Je dirais même plus, c'est ainsi que nous les *ferons* y être !

Là, je n'ai plus rien répondu. Elle a sans doute raison, puisque c'est elle, la physicienne. Je ne suis pas de taille à discuter avec elle ni avec Schrödinger ou Einstein et, après tout, c'est son affaire. Pour ma part, tout ce qui m'intéresse, c'est qu'on m'envoie à Calgary quarante-trois ans plus tôt.

J'ai donc communiqué ma décision à Robert en début d'après-midi et, le soir même, il m'appelait pour m'informer que le départ était fixé au surlendemain matin.

Maintenant, couché dans mon lit, j'ai déjà oublié Robert, Sonia, le chat dans sa boîte, la WWF et ses cadavres. Et pourtant, je ne dors pas. Une question me hante et m'excite à la fois: une fois que je me retrouverai face à mes parents, avant même l'heure de ma naissance, que vais-je leur dire?

4

Trou noir

— Alors, anxieuse ?

— Non, excitée, me répond Sonia en frissonnant.

Elle a l'air de sortir d'un vieux film, avec ces vêtements que les recherchistes du service historique du BSIA supposent avoir été à la mode dans l'ouest du Canada, à la fin du siècle précédent.

Pour ma part, je dois avoir l'air d'un clown. On a choisi, pour m'habiller, de me faire ressembler à un humoriste de l'époque qui s'appelait Woody Allen et qui faisait du cinéma comme on en faisait alors en Amérique du Nord, presque sans trucages et avec de vrais acteurs.

Pour Sonia, un jeune type du service historique voulait l'affubler d'un minislip et d'un soutien-gorge rouges, sans rien d'autre, parce qu'il est un fan de séries anciennes du style *Alerte à Malibu* ou *Magnum,* mais un collègue plus sérieux lui a laissé entendre que ce n'était pas tout à fait le genre de Calgary. On lui a donc proposé des bottes de cuir rouge à bout pointu, une minijupe de cuir avec des franges et un corsage blanc à épaulettes bleues. Elle a quand même réussi à refuser le chapeau !

— Ça faisait fureur à l'époque du Stampede, a précisé le costumier. Ce sera parfait.

Le Stampede, c'était une fête monstre du temps de la splendeur de Calgary, avec déguisements de cow-boys et bière à gogo, et qui avait lieu chaque année, la deuxième semaine de juillet. Or nous sommes le 10. Nous arriverons en plein dedans. Robert pense que nous aurons ainsi toutes les chances de passer inaperçus, parmi des milliers de touristes.

Sonia, effectivement, sera dans le ton. Mais en ce qui me concerne, avec ma dégaine à la Woody Allen, je me sens plutôt l'air péquenot.

Nous nous sommes retrouvés il y a quelques heures à peine dans les locaux de l'Institut de recherches spatiales, qui abrite le labo spécial de la section en sommeil «Voyages temporels». C'est d'ici que tous les lancements ont eu lieu, y compris le dernier dont je faisais partie.

C'est là qu'apparaît la première difficulté. Si on peut voyager dans le temps, la machine, en revanche, est incapable de déplacer les corps dans l'espace. D'où ce problème : qu'y avait-il, à l'époque de destination, à la place de l'Institut ? Lors de mon précédent voyage, le retour dans le temps s'était fait sur trois ans et n'avait duré que quelques jours. Il s'agissait d'une expérience et je m'étais tout simplement retrouvé dans la même salle de l'Institut, qui existait déjà à l'époque. Mais en juillet 2000 ?

À cette date, l'Institut occupait un autre bâtiment dans le centre de Toronto. Ici, il n'y avait que des entrepôts commerciaux en plus ou moins bon état, certains désaffectés depuis longtemps déjà, abritant selon de vieux rapports de police toute une faune peu recommandable. J'entrevois plus précisément la raison de ma participation à ce voyage : Sonia, même si elle a le profil de ces agentes spéciales de haut vol qui faisaient la gloire des anciens feuilletons, est tout à fait incapable de tuer une mouche. Un papillon de nuit l'effraie. Mon rôle de garde du corps ne sera donc pas de trop.

Une fois sur place, nous devrons donc nous rendre à Calgary par nos propres moyens. Comme il était trop compliqué de nous fournir des dollars canadiens, qui avaient cours à l'époque, on nous a fabriqué de fausses cartes de crédit, ce qui n'a pas été difficile, vu les techniques rudimentaires utilisées par les banques de ces années-là. Tous ces accessoires nous ont été remis tout à l'heure, lors de notre arrivée à l'Institut.

Nous sommes donc fin prêts maintenant pour le grand saut. Du plastique pour payer, une arme automatique dans la poche et un déguisement de bozo pour moi, et un costume de bombe sexuelle pour Sonia...

C'est l'heure H. Debout face à face sur le socle inondé de lumière de l'appareil, à demi assommés par un ronronnement assourdissant et coiffés d'une sorte de halo luminescent en forme de cloche qui nous enveloppe et nous empêche de voir quoi que ce soit à l'extérieur, nous sommes déjà pratiquement coupés du monde. Seule la voix de Robert, qui est venu assister au départ, nous rattache encore au temps présent:

— Bon voya…!

Un sifflement strident couvre sa voix et une explosion de lumière nous aveugle. Pendant une fraction de seconde, j'ai l'impression que mes pieds ne touchent plus le sol. Et je me retrouve soudain dans le noir, avec Sonia à demi inconsciente dans mes bras. Ça commence d'une façon qui n'est pas pour me déplaire…

Il me faut un bon moment pour me rendre compte que le silence est total, tant mes oreilles sont encore vibrantes du hurlement suraigu de la machine. Pourtant, autour de nous, je ne distingue rien. L'obscurité semble absolue. Nous sommes le 10 juillet 2000, d'accord, mais à quelle heure?

Je secoue légèrement Sonia, qui reprend peu à peu ses esprits. Je ne peux pas distinguer ses yeux, mais je sens son corps frissonnant contre le mien.

— Où sommes-nous? demande-t-elle enfin d'une voix qui, cette fois, n'est plus excitée du tout.

— À Toronto, il me semble, fais-je d'un ton délicieusement ironique. Où veux-tu que nous soyons? Tu devrais savoir que la machine n'opère aucune translation spatiale.

— Ton vocabulaire s'améliore, répond vivement Sonia, que ma remarque a dû vexer profondément. Maintenant, améliore donc aussi ta technique et sors-nous de ce trou à rats. J'ai rendez-vous à Calgary!

Elle n'est pas restée effarouchée longtemps, Sonia. Mais je ne regrette pas mon attitude : maintenant, elle sait que les moments d'affolement et les questions inutiles ne font pas partie de nos procédures. Je suis persuadé qu'elle a compris. D'ailleurs, elle se calme aussitôt.

Je recommence à scruter l'ombre épaisse. Ce qui m'étonne le plus, c'est que mes yeux n'ont pas l'air de s'accoutumer à l'obscurité. Je ne vois absolument rien, pas même la plus infime variété de ton dans le noir qui nous entoure. Ténèbres absolues, silence total. C'est comme si… nous nous trouvions dans un caveau !

L'image de ces jeunes femmes mortes de vieillesse dans une cave de ce genre à Calgary me revient à l'esprit. Je réprime un frisson. Je suppose que Sonia n'est pas non plus très à son aise, mais elle se garde bien d'en faire état. Pour ma part, je me demande dans quel piège nous sommes tombés. Sur les ruines de quel genre d'entrepôt a-t-on construit l'Institut de recherches spatiales ?

Ou bien… s'agit-il d'une erreur dans le système de voyage dans le temps ? Ces voyages n'ont jamais été parfaitement au point, tout le monde le sait. Ils comportent de nombreuses procédures assez empiriques, qui ont toujours fonctionné jusqu'ici, d'accord, mais sans qu'on sache exactement pourquoi. Je me demande si nous ne venons pas de faire l'expérience de la première faille dans un lancement temporel. Amère expérience…

Je poserais bien la question à Sonia mais, après mon attitude de tout à l'heure, je ferais vraiment figure d'imbécile. Si je ne trouve pas immédiatement une ligne de conduite, c'est d'ailleurs ce qui risque de m'arriver. Sans parler de risques plus graves…

Depuis tout à l'heure, Sonia n'est plus collée sur moi, mais sa main est crispée dans la mienne. Au-delà de ce contact ponctuel, je sens la présence de son corps. Le bruit de sa respiration, son parfum… Elle sent la peur ! Pourtant, si ce qui nous arrive est le fait d'une erreur dans le système de lancement, c'est à elle de le dire. Au mieux, nous risquons de passer un an complet dans ce purgatoire ; au pire, nous y resterons jusqu'à ce que mort s'ensuive…

Je préfère ne pas y penser. Tout ce que je peux faire, tout ce que je *dois* faire, c'est essayer de nous sortir de là par nos propres moyens.

Après réflexion, je me dis que, de toute façon, il ne peut pas s'agir d'une erreur de logistique. Nous ne sommes ni hors du monde ni hors du temps : je sens le sol dur sous mes pieds, je sens mon cœur battre. Nous nous trouvons bel et bien dans une réalité tangible. De plus, je le remarque maintenant, l'air qui nous environne n'est pas neutre. Dense, humide, presque poisseux.

L'odeur, surtout, me paraît maintenant insupportable. Je ne comprends pas comment elle ne m'a pas sauté plus tôt à la gorge. Une odeur âcre, fétide, étouffante, une odeur que je n'arrive pas à identifier.

— Ça pue affreusement, ici, murmure soudain Sonia qui doit éprouver le même malaise. On dirait qu'il n'y a pas d'air…

— Nous devons être dans une sorte de cave isolée, dis-je en essayant de masquer mon trouble. C'était des entrepôts, ici. Des entrepôts commerciaux. Nous sommes probablement dans un dépôt de vin, ou quelque chose comme ça.

— Avec cette chaleur et cette odeur ? rétorque Sonia avec humeur. Tu n'as pas dû souvent boire de vin dans ta vie. Pas du bon, en tout cas. Le vin se conserve dans des caves fraîches et ventilées. Ici, on crève de chaud et l'atmosphère est irrespirable…

Elle a raison. Je ne comprends pas dans quel genre d'endroit nous avons pu échouer. Nos fausses cartes de crédit, qui étaient censées aplanir toutes les difficultés en cette fin du vingtième siècle, ne nous sont ici d'aucun secours. Et nous n'avons même pas de lampe de poche. Pas de briquet non plus, puisque nous ne fumons pas. Quant à des allumettes, je n'en ai jamais utilisé de ma vie. Pourquoi pas des silex, pendant qu'on y est ? Je ne vois pas ce qui pourrait nous aider à repousser ces ténèbres mortelles.

Je me rends compte que, depuis que nous sommes arrivés, nous n'avons pas fait un geste. Comme si nous étions paralysés par cette ambiance pestilentielle, figés dans cet air moite et acide, englués dans une peur qui n'ose pas dire son nom. C'est tout de même incroyable. Moi, à mon âge, avoir peur du noir ?

— Bougeons, dis-je alors d'une voix forte qui résonne curieusement. Ça ne sert à rien de rester ici, on ne viendra pas nous chercher avec des croissants…

Et, pour rompre le charme qui semble nous avoir transformés en statues, je fais un pas de côté, sans lâcher la main de Sonia. Alors, je perçois un faible bruissement tout autour de nous, comme si un frisson s'était emparé du sol lui-même, comme si ce qui me paraissait avoir été du béton était subitement devenu vivant et avait la chair de poule…

Je m'immobilise aussitôt. Sonia vient de planter ses ongles dans ma paume.

— Qu'est-ce que c'est? souffle-t-elle en se collant de nouveau contre moi.

Je n'en ai pas la moindre idée. Cette fois, je m'abstiens de faire de l'humour. Je passe mon bras sur son épaule et fais un nouveau pas, puis un autre. Le bruissement se fait plus fort. Il nous environne de toutes parts, très nettement perceptible maintenant. Une sorte de raclement, de grattement qui provient du sol comme si celui-ci se hérissait brusquement de pattes ou de tentacules. L'odeur, en même temps, explose violemment, se déchaîne en remous épais qui montent à l'assaut de nos narines.

Sonia se raidit. Je me retourne brusquement, essaie désespérément de percer cette noirceur impénétrable qui menace de nous rendre fous. Rien à faire. J'ai l'impression d'être devenu aveugle. Rien d'autre que cette odeur atroce et ce bruissement angoissant venant de partout et de nulle part à la fois. Pris de panique, je me mets à hurler :

— Silence !

Et, aussitôt, l'incroyable se produit. Mon cri résonne bruyamment et meurt presque aussitôt dans cette atmosphère surchargée, et le silence retombe. Un silence de mort. Je ne sais toujours pas à qui nous avons affaire, mais j'ai bien l'impression que ces mystérieuses créatures qui s'agitent autour de nous sont encore plus terrifiées que nous-mêmes. Du coup, je comprends l'avantage de notre situation : c'est *nous* qui faisons peur ! Je reprends le bras de Sonia.

— Essayons d'atteindre un des murs de cette saloperie de cave. En le longeant, nous finirons bien par trouver une sortie.

— Tout ce que tu veux, murmure péniblement Sonia, pourvu qu'on sorte enfin d'ici. Mais, bon sang, qu'est-ce qui *vit* dans cette tombe ?

— Aucune idée, mais il semble que ça ait davantage peur de nous que l'inverse. Alors, profitons-en.

Cette fois nous avançons, lentement mais fermement. Le bruit reprend de plus belle autour de nous mais, surmontant notre répugnance, nous ne nous arrêtons pas. Pas après pas, je tente de progresser en ligne droite. À tout instant, je crains de poser le pied sur quelque chose de vivant, de fuyant, de collant… Pourtant, je ne sens rien de tel sous mes chaussures, rien qu'une sorte de boue un peu visqueuse qui s'étale sous mes semelles.

— Gare aux chutes, chuchoté-je à Sonia.

Au bout d'un moment qui me paraît une éternité, nous arrivons enfin à une paroi. Une paroi nue et dure de béton, sans aucune aspérité. À droite ou à gauche ? Avant de repartir, je me retourne pour jeter un coup d'œil en arrière. L'obscurité est toujours aussi épaisse, mais mon acuité visuelle paraît s'être nettement améliorée. Peut-être mes yeux sont-ils seulement remis du flash violent qui a accompagné notre saut dans le temps. Il y a probablement une source de lumière quelque part, même si elle est très faible. En tout cas, il me semble distinguer maintenant une infinité de faibles lueurs au niveau du sol.

Sonia a suivi mon mouvement. Elle a vu, elle aussi.

— Regarde, fait-elle dans un souffle angoissé. On dirait des yeux. Des yeux par milliers…

5

Les rats blancs

Des rats! Bien sûr, comment n'y ai-je pas pensé plus tôt? Des milliers de rats qui infestent une cave parmi d'autres, une cave oubliée dans une zone d'entrepôts à l'abandon et dans laquelle nous venons d'échouer piteusement.

Et pourtant non. Il y a quelque chose qui cloche. Nous ne sommes que deux, face à cette armée innombrable pour qui l'obscurité n'est certainement pas un handicap. Deux misérables humains. Des rats, si c'en était, nous auraient attaqués et dévorés en un instant. Des rats enfermés en telle quantité dans un espace aussi confiné devraient être devenus fous furieux, cannibales, assassins, agressifs à l'extrême!

Ils auraient déjà dû se jeter sur nous, grimper sur nos jambes, notre dos, et nous mordre, nous déchirer, nous saigner à blanc... Comment pourraient-ils avoir peur de deux intrus, aveugles et sans défense, égarés parmi eux?

Mais, s'il ne s'agit pas de rats, que sont alors ces créatures terrifiées, prisonnières de ce caveau? La chose paraît inexplicable mais, s'il existait une issue quelque part, ces bestioles auraient fui depuis longtemps plutôt que de se recroqueviller autour de nous. Il n'y a donc pas d'issue. Elles sont acculées, prises au piège. Prises, je m'en rends compte, dans le même piège que nous! Quel piège, et tendu par qui?

— Il y a forcément une porte quelque part, dis-je à voix basse, un sas, n'importe quelle ouverture par laquelle on a pu introduire ces bestioles. Leur présence ne me paraît pas naturelle.

— Ce ne sont peut-être pas des animaux, murmure Sonia.

— Des robots? Tu surestimes les possibilités techniques du vingtième siècle, Sonia. Et puis, est-ce que tu imagines que des robots puissent puer avec une telle intensité ?

Soudain, je me tais, saisi par une intuition sinistre. Quand Sonia a dit qu'il ne s'agissait peut-être pas d'animaux, j'ai cru qu'elle voulait dire par là qu'il ne s'agissait pas d'êtres vivants. Ai-je vraiment bien compris ?

N'ayant aucune notion des distances dans ce lieu sombre, nous ne pouvons avoir aucune idée de la taille des ces yeux qui nous observent. J'ai pensé à des rats parce que l'endroit où nous nous trouvons m'a fait penser à des rats. Réaction purement psychologique. Mais ces créatures ne se comportent pas comme des rats. Elles ne *sont* donc pas des rats. Quand j'ai crié « silence », tout à l'heure, j'ai été obéi ! Se pourrait-il que ces yeux appartiennent à... des humains ?

Mais quels humains ? Quels déchets humains, plutôt, quelles larves dépouillées de toute humanité, jetées dans ce trou où la peur la plus profonde leur tient lieu d'atmosphère, victimes de je ne sais quelle abominable séquestration ?

Je me rends compte que ma main est en train de broyer celle de Sonia, mais que celle-ci ne retire pas la sienne. L'agent spécial Nemo Higgs? La deux fois docteur Sonia Heisenberg? Non. Disparus. Envolés. Nous ne sommes plus que deux enfants confrontés à la plus ancienne, à la plus puissante des peurs: celle du noir qui enfante les monstres.

Je me mords violemment les lèvres. Puis, faisant un effort surhumain sur moi-même, j'essaie de me ressaisir et je crie d'une voix forte:

— Qui êtes-vous?

Une fois de plus, il y a ce froufroutement sur le sol, comme si une multitude de corps à la fois légers et malhabiles se pressaient pour se mettre à l'abri de ma voix. Et l'odeur, toujours, qui semble se décupler à chaque mouvement. Je n'en peux plus! Je vais devenir fou! Je beugle une nouvelle fois:

— Qui êtes-vous, à la fin? Montrez-vous! Sortez de l'ombre!

Alors, brusquement, une vive lumière blanche jaillit du plafond et m'aveugle complètement.

Il me faut un bon moment pour me remettre de cet éclair éblouissant. J'ai l'impression qu'un feu d'artifice éclate sous mes paupières. Puis la sensation s'atténue et, les yeux douloureux et ruisselants de larmes, je peux enfin contempler l'endroit où nous sommes.

Il s'agit d'une pièce rectangulaire assez vaste et entièrement blanche, plancher et plafond compris. Sonia et moi nous trouvons au milieu d'un des côtés les plus étroits, perdus dans cet espace blanc et vide. Mais le spectacle se trouve de l'autre côté, dans l'autre partie de la pièce, à quelques mètres de nous.

Là, grouillant comme une véritable purée vivante, des milliers, des centaines de milliers de rats se piétinent et s'amoncellent contre le mur du fond. D'énormes rats blancs aux yeux rouges et aux pattes grêles, complètement terrorisés et qui, semble-t-il, préfèrent crever d'asphyxie en s'étouffant eux-mêmes plutôt que de s'approcher de nous.

Rien d'autre. J'ai beau scruter cette fosse de tous mes yeux, je n'y vois que ces rats apeurés, ces gros rats dégénérés qui se comportent comme des enfants, des enfants pris de panique !

D'un côté, je me sens soulagé. L'idée d'être enfermé dans une tombe avec des prisonniers emmurés vifs me paraissait insoutenable. Et le fait que ces rats, contre toute attente, soient dépourvus de la moindre agressivité, me soulage également. Juste assez pour que je puisse me poser maintenant une autre question : qui vient d'allumer ?

Je suppose que quelqu'un, quelque part derrière ces murs blancs, est en train de nous observer grâce à un quelconque système de surveillance. Mais pourquoi ne se manifeste-t-il pas ? Peut-être sommes-nous invisibles, là où nous sommes. Je ne peux plus attendre. Il faut savoir. Je fais quelques pas vers le centre de la pièce, piétinant les innombrables déjections des rats et provoquant un nouveau mouvement houleux de ces animaux imbéciles.

Machinalement, j'écarte les bras, comme pour montrer que je ne suis pas armé, que je ne viens pas en ennemi... comme si je venais de débarquer chez des Martiens. En me retournant, j'aperçois Sonia qui n'a pas bougé d'un poil, totalement surprenante dans ce lieu répugnant avec son déguisement de *pom pom girl*. Nous nageons en plein cauchemar grotesque !

Soudain, au-dessus d'elle, je remarque enfin ce que je cherchais. Un œil rond. Œil d'une caméra qui balaie toute cette pièce, à l'exception de l'étroite portion où se tient encore Sonia.

Je me mets à hurler et à gesticuler comme un pantin, dans l'espoir d'attirer l'attention du mystérieux observateur. Je me rends vite compte que c'est complètement ridicule, d'ailleurs. Si la lumière a été allumée, c'est bien parce qu'on nous a déjà repérés. Et puis je suppose qu'un système de surveillance tel que celui-ci, fait pour contrôler ce qui ce passe dans cette énorme cellule, doit utiliser toute la panoplie des moyens de détection, des infrarouges aux détecteurs de mouvement.

Ça me semble évident, maintenant. Depuis le début, *ils* savent que nous sommes là. *Ils* nous observent, *ils* nous mesurent, *ils* nous jaugent. Mais qui, *ils* ? Et pourquoi ne nous font-ils pas sortir de là ?

Enfin Sonia se joint à moi et, elle aussi, commence à s'agiter et à crier. Est-elle plus efficace que moi ? Plus persuasive ? Elle a à peine le temps de rugir un retentissant «ouvrez !» qu'une sorte de sifflement bref se fait entendre, provenant du mur opposé.

Le bruit déclenche aussitôt une nouvelle panique des rats qui se ruent sur nous en grappe compacte. Sonia pousse un hurlement strident en serrant les genoux et en essayant de tirer sa minijupe vers le bas. C'est inutile. Le flot de rats se sépare en deux autour de nous et se ressoude de l'autre côté, sans même nous frôler, avant d'aller s'écraser vers le mur.

À notre tour, nous nous précipitons en sens inverse. Je remarque alors la forme d'une porte que l'accumulation des rats nous avait masquée jusqu'ici. Nous nous jetons dessus comme des naufragés sur une bouée et nous nous mettons à tambouriner de toutes nos forces.

Enfin un déclic se produit et la porte semble s'enfoncer légèrement dans le mur, puis glisse sur le côté. L'ouverture donne sur un espace minuscule, dans lequel nous réussissons à grand-peine à nous engouffrer. La porte se referme aussitôt sur nous. Nous voilà de nouveau prisonniers, dans un réduit si étroit que je me retrouve collé contre Sonia.

Je n'ai pas le temps – ni l'envie, d'ailleurs – de savourer la situation. Il s'agit d'un sas, probablement. Aucun rat n'y a pénétré avec nous. On va donc enfin nous tirer de là ! Effectivement, un nouveau déclic annonce l'ouverture de la deuxième porte. Libres !

Notre joie est pourtant de courte durée. Le comité d'accueil, derrière la porte, est constitué de deux types en uniforme bleu qui pointent sur nous des armes automatiques.

— Contre le mur, mains sur la tête ! aboie l'un des deux.

Je n'ai pas le temps de réagir que l'autre m'enfonce le canon de son arme dans les côtes. Inutile de résister. Pour l'instant. Docilement, nous nous plaquons sur la paroi, les mains sur la nuque.

— Qui êtes-vous ? Comment êtes-vous entrés ici ? reprend le premier homme d'un ton rageur.

Que répondre ? Sonia sait aussi bien que moi que la technique des voyages dans le passé n'a pas été mise au point – si l'on peut dire ! – avant 2035 au moins. Si nous racontons d'où nous venons à ces types, ils risquent de ne pas apprécier la plaisanterie.

Devant notre mutisme, les deux hommes commencent à s'énerver. Tandis que le second nous tient toujours en joue, l'autre passe un appel à voix basse à l'aide d'un appareil portatif. Impossible de voir ce qui se passe, le canon est posé sur mon cou.

Quelques instants plus tard, un bruit de porte se fait entendre. Quelqu'un vient d'entrer. Presque aussitôt le canon quitte ma peau et je peux me retourner.

Le nouveau venu est un petit type grisonnant et mal rasé, vêtu d'une blouse blanche. Il s'assoit derrière un bureau encombré d'appareils de toutes sortes et de paquets de notes. Les deux gardes reculent de quelques pas, tout en nous gardant en joue. L'homme en blouse blanche nous dévisage longuement, puis il choisit de s'adresser à Sonia d'une voix froide et coupante :

— Si vous aviez l'intention de faire un rodéo, mademoiselle, vous avez dû être déçue par mes petits animaux. Ou peut-être bien arrivez-vous de Calgary et n'avez-vous pas eu le temps de vous changer.

Sonia ne répond pas, ce qui n'a pas l'air de surprendre le type. Il continue simplement de la regarder de ses yeux d'oiseau de proie.

C'est alors que je remarque avec étonnement le sigle brodé qui orne le haut de la poche extérieure de sa blouse : Northern Oil Products. Le nom me dit quelque chose, bien que le secteur pétrolier n'ait jamais été de mon ressort. Et soudain, je me souviens où j'ai vu ce nom récemment. La Northern est la société à qui apparte-nait – à qui appartient, devrais-je dire – la Western Wild Food !

Mais qu'est-ce que des entreprises pétrolières ou alimentaires ont à voir avec les rats ?

— Vous avez perdu votre langue ? reprend Blouse Blanche avec un soupçon d'ironie. Ça ne fait rien. Je ne suis pas pressé. Je ne m'explique pas comment vous avez pu vous introduire ici, mais si vous vous sentez d'attaque pour passer la nuit avec mes petits pensionnaires, et d'autres nuits, libre à vous. Comme vous l'avez sans doute remarqué, ils sont doux comme des agneaux. L'ennui, pour vous, c'est qu'aussi longtemps que vous resterez avec eux, vous n'aurez droit qu'au même régime alimentaire...

Je lance un coup d'œil à Sonia. Elle est blême! Elle me rend un regard désespéré. Évidemment, comme garde du corps, elle s'attendait sans doute à ce que je sois plus efficace!

Rapidement, j'essaie d'évaluer quels sont nos atouts. Nuls, pratiquement. Sauf sur un point, peut-être : cette cellule dans laquelle vivent les rats ne possède manifestement qu'une seule issue, surveillée par les gardes. *A priori,* il n'est donc pas possible d'y pénétrer sans leur complicité. Mieux, même. Qui aurait eu l'idée insensée d'aller se jeter dans un tel guêpier de son propre chef? C'est là notre seule marge de manœuvre : impliquer les gardes, les compromettre, attirer les soupçons sur eux.

Je les regarde alternativement, puis je déclare à l'homme en blanc, après avoir déchiffré son nom, brodé sur sa poche sous le sigle de la Northern Oil :

— Franchement, monsieur Pauli, vous croyez que nous avons mis les pieds de notre plein gré dans ce trou à rats ? C'est insensé. Nous sommes journalistes et nous voulions simplement vous rencontrer, mais il semble que ce genre de chose ne soit pas du goût de tout le monde. On nous a malmenés et…

— En effet, en effet, murmure-t-il en me coupant la parole. Ce n'est pas du tout de mon goût.

Pauli se caresse le menton tout en nous fixant. Mais, de temps en temps, il jette un très rapide coup d'œil vers les gardes. Il me semble perplexe, gêné même, bien qu'il essaie de le dissimuler.

Il est évident que ses activités ne sont pas ce qu'il y a de plus légal. À preuve, ces vigiles armés. Il n'est pas douteux non plus qu'il nous verrait avec plaisir finir nos jours en compagnie de ses rats. Pourtant, ce qui le tracasse visiblement, c'est qu'on ait pris une décision sans le consulter. Jeter des journalistes dans la fosse aux rats alors que, peut-être, il aurait pu s'en débarrasser en douceur avec quelques phrases…

— Avez-vous noté quelque chose de bizarre quand vous avez pris votre service ? demande-t-il brusquement aux deux gorilles.

— Non, monsieur Pauli.

— Qui était là ?

— Dirac, monsieur.

— Allez le chercher.

Le gardien qui a parlé sort. L'autre n'a pas l'air très à l'aise et sa vigilance s'en ressent. C'est le moment que j'attendais. D'un moulinet du pied gauche, je l'envoie au tapis et, sortant mon revolver, je me précipite sur Pauli que j'attrape au col, lui pressant le canon sur la tempe.

Sonia, pour sa part, a réagi au quart de tour. Elle a saisi l'arme tombée à terre et a mis le vigile en joue. Cette fois, la balle est dans notre camp.

— Et maintenant, monsieur Pauli, si nous changions la règle du jeu ?

6

Dans la nuit

Il y a beaucoup de choses que j'aimerais savoir, et tout particulièrement la relation qui existe entre ces rats, la Northern Oil et la WWF. Pauli serait la personne idéale, mais l'ennui, c'est que nous n'avons pas un instant à perdre. Le nommé Dirac et l'autre garde vont arriver, et nous perdrons notre avantage.

Inutile donc de fignoler ; une seule chose compte, sortir d'ici. Tenant toujours Pauli par le col, je fais le tour du bureau, m'approche du garde que Sonia tient en respect et, d'un violent coup de crosse, je lui refais visiter le plancher. Pour un bon moment, cette fois.

— Appelez Dirac et dites-lui que vous n'avez plus besoin de lui, dis-je à Pauli, sinon c'est vous qui irez coucher avec les rats.

Un peu secoué, Pauli obtempère. Mon canon, tout près de son oreille, est un argument convaincant. Il a à peine raccroché que je le remets vivement debout comme un pantin et le pousse vers la porte.

— Et maintenant, direction la sortie. À la moindre tentative malheureuse, je vous transforme en passoire.

Apparemment, monsieur le professeur Pauli n'a pas l'habitude qu'on lui parle sur ce ton. Il a perdu sa superbe et son regard tient plus d'un lapin que d'un aigle.

Après un long couloir au bout duquel nous devons passer un nouveau sas – plus grand que celui de la cage aux rats –, nous débouchons sur une immense salle vide brillamment éclairée.

Ni le garde ni Dirac n'apparaissent, mais je me méfie tout de même. Ils sont probablement embusqués dans un coin, prêts à profiter de ma moindre défaillance. Le canon de mon arme ne quitte pas la tête de Pauli, qui me sert également de bouclier.

Au bout de la salle, Pauli me désigne l'ascenseur. Pas question. Dans le genre piège, on ne fait pas mieux. Nous prenons donc les escaliers. Ça n'en finit pas. Je compte trois volées de marches avant d'arriver au rez-de-chaussée. Ils doivent être précieux, les rats de Pauli !

Nous parvenons enfin à une porte massive que Pauli ouvre grâce à un code. C'est un paysage désolé de vieux hangars, d'entrepôts vétustes et d'engins de chantier qui s'offre à nous. Il fait nuit. C'est sans doute pour ça que nous n'avons rencontré personne dans les bâtiments. Je fais un pas vers l'extérieur, mais cette fois Pauli résiste.

— Eh bien ? fais-je en lui imprimant une vive torsion au bras.

— Je… je pensais que vous alliez me laisser, maintenant, répond-il d'une voix sourde.

— Pour que tu appelles des renforts ? Tu plaisantes, prof. Tu es du voyage avec nous… jusqu'à ce que je me lasse de toi.

Je le pousse devant moi. Il fait une chaleur agréable, une vraie nuit d'amoureux… Une fois à l'extérieur, nous devons faire une cible facile. Je presse donc le pas, tenant toujours mon otage en guise de protection. Sonia ferme la marche, l'arme du vigile au poing. Le problème, c'est que je n'ai aucune idée de la direction à prendre. Je ne vois qu'une solution. Je demande à Pauli :

— Tu as une voiture ?

— Oui, oui, bien sûr. Mais il faut rentrer, c'est au sous-sol…

— Alors, nous irons par la sortie. Conduis-nous.

Pauli semble hésiter un instant, puis il m'entraîne vers la droite, longeant un mur pelé. Les bâtiments qui nous entourent ont l'air d'avoir survécu – et encore, pas très bien – à une guerre. Je me demande pourquoi la Northern Oil s'est installée dans un endroit pareil. C'est lugubre.

Pauli trottine toujours au bout de mon bras, jusqu'à l'angle de l'édifice. Il y a là, contre le mur perpendiculaire, un gigantesque tas de fûts métalliques.

— La sortie est là, derrière, dit-il en montrant du doigt la montagne de bidons.

— Alors, pressons.

Nous contournons l'énorme amoncellement. Machinalement, je jette un coup d'œil en arrière pour vérifier que personne ne nous a suivis. C'est sans doute le moment que Pauli attendait. S'arrachant à ma prise, il s'échappe et donne un violent coup de pied dans les bidons. C'est la catastrophe ! Les bidons se mettent à dégringoler et protègent sa fuite.

Je suis furieux. Le temps de me dégager et de me lancer à sa poursuite, Pauli a déjà disparu. Il n'a pas pu aller bien loin, pourtant. À quelques mètres, j'aperçois l'entrée du stationnement souterrain. Il ne peut être que là. Sonia et moi nous y engouffrons en courant.

L'obscurité est presque totale, là-dedans. Nous sommes armés, mais Pauli a l'avantage : il connaît les lieux. Nous avançons à l'aveuglette, à l'affût du moindre bruit. Tout est silencieux. Notre homme a dû s'arrêter, ou alors il marche sur les mains !

Nous progressons de voiture en voiture, lentement. Soudain, Sonia agrippe mon bras.

— Là, murmure-t-elle en tendant son bras vers une grosse voiture, à une dizaine de mètres devant nous.

J'ai vu, moi aussi. Une ombre a bougé. Je fais signe à Sonia de continuer à avancer doucement dans la même direction et, courbé en deux, je disparais derrière un pilier. Je vais faire le tour et le coincer de l'autre côté.

Quelques secondes suffisent. L'ombre n'a pas bougé. Ça y est, je ne suis plus qu'à quelques pas de lui. Je vois sa silhouette, accroupie près de la voiture. Il est fait comme un rat ! Me détendant brusquement, je me jette sur lui et lui serre la gorge tout en lui enfonçant mon arme dans la poitrine. L'ombre pousse un cri. Un cri de femme !

Je me redresse. Je distingue vaguement ses traits dans la pénombre. Une jeune femme aux cheveux longs, vêtue d'un blouson.

— Qui êtes-vous ? Qu'est-ce que vous faites là ?

— Je… je me suis perdue, fait-elle.

Perdue ? Elle se fiche de moi. En tout cas, une chose est certaine, cette fille ne fait pas partie de la Northern. Qu'est-ce qu'elle fait ici, alors ? Espionne, journaliste ? Espionne, non, je ne crois pas. Elle tremble comme une feuille. Sonia nous rejoint.

— Que se passe-t-il ?

— Une trouvaille intéressante, lui dis-je. Nous avons dégotté un chauffeur. Vous avez une voiture, non ? ajouté-je à l'intention de la fille.

— Oui, oui, à l'extérieur.

— Allons-y.

Tant pis pour Pauli. Il ne nous reste plus qu'à disparaître avant que les autres ne rappliquent. Nous partons donc au trot, moi tenant la fille par le bras, Sonia fermant la marche.

Trois hangars plus loin, nous nous arrêtons devant une petite Volkswagen qui ressemble à un scarabée. Je me demande si nous allons tenir là-dedans tous les trois.

— Ouvrez et prenez le volant.

Quelques instants plus tard, la voiture file dans ce labyrinthe d'entrepôts en ruine. En démarrant, l'inconnue m'a demandé quelle direction elle devait prendre. J'étais un peu pris au dépourvu.

— Nous allons chez vous, ai-je répondu un peu sèchement.

— Je suis à l'hôtel, a-t-elle bredouillé.

— Alors, allons boire un verre quelque part.

Puis nous n'avons plus échangé un seul mot tant que nous n'avons pas quitté la zone industrielle. J'ai tout de même rengainé mon arme. Il me semble inutile de terroriser davantage cette pauvre fille, qui nous prend probablement pour des gros bras de la Northern.

Il n'est pourtant pas question de la laisser filer. Sa présence non autorisée dans les locaux de la Northern Oil me donne à croire qu'elle sait des choses intéressantes sur les activités de la société ou sur ses liens avec la Western Wild Food. Une fois dans les rues de Toronto, je cherche à repérer un café ouvert la nuit. Il sera plus facile de la faire parler autour d'une boisson chaude.

— Bien, dis-je en m'étirant alors que nous sommes enfin attablés devant trois cafés. Si vous nous disiez votre nom, avant de commencer ?

— Violette… Violette Born.

— Et qu'est-ce que vous faisiez, perdue dans un souterrain, à plus de cinq cents mètres de votre propre voiture ?

— Je n'étais pas vraiment perdue, répond-elle avec un demi-sourire, comprenant qu'il est inutile de raconter n'importe quoi. Je voulais rencontrer monsieur Pauli.

— Et il n'était pas plus simple de vous présenter à la porte d'entrée ?

— Vous savez bien que monsieur Pauli est très difficile à joindre, qu'il n'accepte pas les rendez-vous et qu'il est très bien protégé.

— Je n'en sais rien du tout. Je ne le connais pas.

Violette Born me regarde avec surprise. Manifestement, elle a du mal à comprendre qui nous sommes et ce que nous voulons. Si elle savait ! Je la regarde. Je n'avais pas remarqué qu'elle était jolie. Enfin, jolie, je ne sais pas. Je n'y connais rien, en fait. Mais son visage a quelque chose qui me remue. Sonia me donne un coup de pied sous la table.

— Nous ne le connaissons pas, dit-elle en fixant Violette d'un œil dur. Mais nous

nous intéressons de près à ce qu'il fait. Nous avons donc un intérêt commun. Que savez-vous de lui et que lui vouliez-vous?

La jeune femme ne répond pas. Elle se rétracte comme une huître. Sonia est trop scientifique, aussi, trop directe. Dans ce genre d'interrogatoire, on ne peut rien obtenir si on ne donne pas un peu. L'interlocuteur doit avoir l'impression qu'il va lui aussi apprendre quelque chose. Ne sachant ni ce que cette jeune femme sait ni ce qu'elle cherche, il faut y aller au hasard. Je me lance:

— Pensez-vous qu'il y ait un rapport entre les recherches poursuivies par Pauli dans son troisième sous-sol et les liens de la Northern Oil avec la Western Wild Food?

Il semble que j'aie touché juste. Violette ouvre de grands yeux (ce n'est pas une espionne, c'est sûr, elle ne sait pas masquer ses émotions!).

— J'en suis persuadée, dit-elle. Personne ne fait le rapprochement entre les deux firmes puisque l'une appartient au secteur pétrolier et l'autre à l'alimentaire. Mais je suis certaine que le lien est très fort. D'ailleurs, Pauli est un biologiste, pas un physicien. En réalité, je suis convaincue qu'il travaille pour la Western.

— Quel rapport avec les rats?

— Les rats?

— L'élevage de rats blancs que Pauli dissimule dans ses sous-sols.

Violette Born fronce les sourcils. Elle dit tout ignorer de ces rats et me demande de quoi il s'agit. Sonia réprime une grimace. Brièvement, je décris ces fameux rats et leur curieux comportement.

— Je crois que je commence à comprendre, murmure-t-elle. Pauli teste ses nouveaux produits alimentaires sur les rats avant de les faire commercialiser par la Western. Cent pour cent purs, disent-ils. Cent pour cent chimiques, oui! Cent pour cent déchets recyclés! Cent pour cent cochonnerie!

Violette a l'air dégoûtée. Je me demande pourquoi. Ça fait des années que les enfants en bas âge sont nourris avec ce genre de produits et, apparemment, ils ne s'en portent pas plus mal. Les études démontrent même que les générations qui ont été élevées avec ces aliments de synthèse sont plus sociables que les autres, et certains sont même allés jusqu'à attribuer la baisse de la criminalité juvénile au Canada à ce régime. Alors ?

— S'il ne s'agissait que d'une aberration diététique, encore, reprend Violette. Mais Pauli et les sociétés qui l'emploient sont en train de préparer des générations de robots. Voyez ces rats que vous m'avez décrits : des créatures naturellement agressives quand elles sont soumises à un tel enfermement. Qu'en a fait Pauli ? Des victimes totales, des larves dévitalisées. Vous rendez-vous compte que c'est ce qui attend nos enfants ?

Sonia a un geste d'agacement. Je la comprends. Quelle naïveté chez cette femme ! Bien sûr. Pauli est à la base de tout le processus sur lequel nous sommes venus enquêter. Cette fille appartient sans doute à un de ces groupes de consommateurs qui fleurissaient à travers toute l'Amérique du Nord, à la fin du vingtième siècle et au début du suivant.

Tant pis. Ou plutôt tant mieux. C'est peut-être une piste qui nous permettra de remonter jusqu'aux fameux cadavres laissés par la Western dans ses entrepôts de Calgary. Il importe donc de mettre Violette en confiance et de lui laisser croire que nous participons au même combat qu'elle.

— Ça fait froid dans le dos, en effet, dis-je en affectant un air consterné. Nous nous doutions que Pauli n'était pas net, mais nous ne comprenions pas le rapport entre lui et la WWF.

— Pauli est trop fort pour se laisser prendre en défaut, reprend Violette. Ses travaux peuvent passer pour de la re-cherche pure.

— Vous avez l'air de bien le connaître.

— J'ai été son élève à l'université. Je sais de quoi il est capable.

— Comment faire pour l'arrêter?

— Ce n'est pas contre lui qu'il faut agir, mais contre ses commanditaires, affirme Violette. C'est l'argent qui gouverne, pas la science. L'ennemi, c'est la WWF, à Calgary.

— C'est mon avis également. C'est donc là qu'il faut agir. Pourquoi ne pas y aller ensemble?

De nouveau, Violette me regarde avec ses grands yeux noisette.

7

Calgary 2000

La fin de la nuit m'a demandé beaucoup d'efforts. Je n'ai pas l'habitude de discuter avec des femmes...

D'abord il m'a fallu calmer Sonia, qui me jetait des regards incendiaires pendant que je faisais mes propositions à Violette. Il ne s'agissait pas d'une crise de jalousie, non, mais Sonia étant à la tête de la mission, elle en avait peut-être assez, maintenant que nous étions sortis du piège à rats, de jouer la comparse.

Ensuite, j'ai dû monter tout un roman à Violette pour la convaincre de nous faire confiance. Je lui ai raconté que nous faisions partie d'un groupe d'activistes armés luttant contre l'emprise grandissante des multinationales sur la santé et la liberté et que, bien sûr, nous vivions dans l'illégalité, ce qui exigeait la plus grande discrétion.

A-t-elle tout avalé ? Je n'en sais rien. Pour sa part, elle a avoué travailler pour une association écologiste de Calgary – nommée The Wild Rose of Alberta – qui enquête depuis longtemps sur les combines de la WWF et des entreprises qui lui sont liées. Finalement, elle a accepté de nous conduire à Calgary, où elle vit habituellement, dans sa minuscule voiture.

Sonia a fait grise mine, mais elle a dû admettre que Violette serait le meilleur passeport pour les associations au sein desquelles allait indubitablement nous mener notre enquête. Finalement, au petit matin, nous sommes donc partis vers l'Ouest.

Cette traversée du Canada a été un véritable cauchemar. À trois dans cet habitacle exigu, pendant des milliers de kilomètres de routes rectilignes et écrasées de soleil, j'ai bien cru que nous allions exploser. Je pensais aux rats du professeur Pauli, entassés par milliers dans leur espace confiné et totalement hermétique…

C'est donc avec soulagement que j'ai enfin vu Calgary surgir du néant, dans la fournaise de cette fin d'après-midi, après trois jours de route éprouvants. Et c'est dans un état de fatigue extrême que, aujourd'hui 13 juillet, je fais connaissance avec le folklore de l'Ouest.

Les historiens du BSIA n'avaient pas tort en ce qui concerne le costume de Sonia. Dans cette ville qui ne semble vivre que pendant dix jours chaque année, à l'occasion du rodéo, elle n'aurait pas déparé avec sa jupette à franges et ses bottes de cow-boy.

Quand je pense au cirque qu'elle nous a fait, à Winnipeg, pour qu'on la laisse entrer dans un magasin afin de changer sa garde-robe ! Enfin, il faut avouer qu'avec son jean et son T-shirt blanc, elle pourra passer partout sans attirer l'œil. Pour ma part, j'ai horreur de magasiner et, bien que mon déguisement ne me plaise guère, j'ai décidé de m'en contenter.

La première chose à faire à Calgary, c'est de trouver un pied-à-terre. Violette nous a proposé de partager son appartement, mais Sonia a refusé et nous avons finalement emménagé dans un motel, sur la Transcanadienne. Nos fausses cartes de crédit fonctionnent à merveille. Tant pis pour les banques – sans cesse différentes grâce à un système automatique – qui en font les frais !

Sonia a repris le contrôle. Elle n'est plus la jeune femme effrayée par le noir et les rats de Toronto. Elle est redevenue Sonia Heisenberg, un cerveau capable d'analyses rapides et de décisions quasi instantanées. Dans sa chambre où elle m'a appelé, elle me présente son plan.

— Nous nous partagerons les tâches, dit-elle. Pour ma part, je vais me faire embaucher par la Western. Ça ne devrait pas poser de problème, mon niveau en biologie est très probablement largement supérieur à celui des scientifiques actuels. Ça aidera pour les contacts.

— Et moi ?

— Toi ? Tu infiltreras tous ces groupes de pression qui tentent de faire obstruction aux activités de la WWF. Il me semble que tu n'auras pas trop de mal, ajoute-t-elle avec un sourire ironique, le travail est déjà à moitié fait… Nous nous retrouverons ici pour faire le point chaque fois que ce sera nécessaire.

Bon. Après tout, cet arrangement me convient parfaitement. J'aurai ainsi toute latitude pour diriger mes investigations à ma guise et, surtout, pour mener mon enquête privée. Je n'ai pas oublié que, si je travaille pour le compte du BSIA, c'est principalement pour des raisons personnelles que j'ai accepté cette mission. Quelque part dans cette ville se trouve un dénommé Nemo Higgs, et j'ai plus que jamais l'intention de le rencontrer.

Dès le lendemain, je commence à consulter annuaires et registres. Rien. La mairie de Calgary ne m'en apprend pas davantage. Nulle trace de Nemo Higgs. À vrai dire, ça ne m'étonne qu'à moitié.

Et pourtant, si on a fait disparaître toute trace de mon père, c'est bien parce qu'il en avait laissé, et des traces gênantes, sans aucun doute. Ma mission m'a amené ici trop tard, l'entreprise de liquidation a déjà eu lieu. Si au moins j'avais une idée du genre de gens qu'il voyait, des lieux qu'il fréquentait. Mais non. Un nom. Rien qu'un nom qui n'apparaît nulle part.

Demain, je me rendrai au siège du journal local, le *Calgary Herald*. Je m'userai les yeux s'il le faut sur des semaines, des mois de faits divers, mais je trouverai…

Les bureaux du *Herald* se trouvent dans le nord-est de la ville, dans un des ces immenses terrains industriels et commerciaux qui découpent dans Calgary de gigantesques taches d'herbe jaunie.

Pas besoin de me taper des milliers de pages, heureusement. La plupart des infos sont disponibles sur support électronique. Avant de m'y mettre, je vérifie que le nom de Nemo Higgs n'apparaît nulle part. C'est le cas. Bien sûr…

Alors commence le fastidieux défilé des faits divers calgaréens. Assassinats, disparitions, incendies, accidents, manifestations d'agriculteurs… Je surveille particulièrement les manifestations. Celles-ci ont l'air assez pacifiques. On n'a pas l'esprit à l'émeute, à Calgary 2000 !

Ça dure des heures. J'ai l'impression d'avoir les yeux comme des boules de billard. Règlements de comptes entre motards, pollution des eaux de source par les engrais agricoles et le pipi de cochon, un puma dans un parc public… Il y a encore des pumas, ici ? Maladie inconnue chez les bœufs du sud de la province, vandalisme contre des installations pétrolières…

Tiens, tiens ! Les Albertains en veulent aux suceurs de pétrole ? Il y a quelques mois, des paysans se sont attaqués à des sites miniers dans le nord, et les éleveurs du sud se plaignent des nouvelles maladies qui affectent leur bétail. Ils crient à l'empoisonnement, au sabotage. Je suis loin de Nemo Higgs, mais je crois que j'ai mis la main sur quelque chose d'intéressant.

Voilà. Une manifestation de militants écologistes contre la Northern Oil, qui fait descendre par camions entiers des résidus de traitement des sables bitumineux du nord, tourne à la bagarre générale. Bataille rangée entre les séditieux et les forces de l'ordre, coups, blessures, arrestations. Et là, surprise : parmi les noms des meneurs arrêtés par la police et cités par le *Herald* apparaît celui de Rose Selavy !

Bien sûr ! Je me rends compte que j'ai commencé mon enquête par le mauvais bout. Obnubilé par l'existence énigmatique de mon père, j'ai négligé la piste

principale, celle qui se présente maintenant devant moi, lumineuse : sa femme.
Ma mère ! C'est par elle, dont l'identité est
clairement établie, que j'arriverai jusqu'à
lui.

Ma mère a donc eu maille à partir avec
la police. Je regarde la date de l'article :
c'était il y a trois mois. Elle a dû être
relâchée depuis. Cette fois, ce n'est pas
compliqué, un coup d'œil à l'annuaire
téléphonique et, cinq minutes plus tard, je
me présente chez elle.

Je n'ai même pas besoin de quitter les
locaux du journal. Il y a dans le hall
d'entrée une cabine publique avec un
annuaire. Je feuillette fébrilement le gros
volume usé et taché. Sel... Seland... Selan-
ders... Selbstaedt... Pas de Selavy ! J'essaie
dans les patelins environnants. Airdrie,
Bragg Creek, Cochrane, Okotoks... Toujours rien. Elle est peut-être sur la liste
rouge ?

Une seule chose est certaine : Rose Selavy
est là, dans cette ville. Elle y a des activités,
elle y connaît des gens, elle les fréquente.
Qui ? Une seule adresse : Violette Born.
Toutes les deux sont impliquées dans cette

lutte perdue d'avance contre les compagnies pétrolières. Il ne doit pas y avoir cinquante associations dans ce milieu très spécial de l'écologie militante. Violette Born doit connaître ma mère. Forcément.

À défaut de son adresse, elle m'a donné son numéro de téléphone avant de nous déposer au motel. Elle me guidera jusqu'à ma mère. Je compose le numéro. Chance, cette fois. Elle est là.

— Violette ? Bonjour, c'est Nemo.

— Qui ? répond-elle, méfiante.

Imbécile ! Triple idiot ! Évidemment, quand elle m'a demandé mon nom, sur la route de Calgary, je ne le lui ai pas donné. Pris de court, et inspiré par mon infect costume gris, je lui ai dit que je m'appelais Allen Wood, nom que j'ai d'ailleurs donné ensuite au motel. Deux erreurs de débutant le même jour ! Je suis en baisse. Vieux, déjà ? Sénile ? Comment m'en sortir, maintenant, sans qu'elle se méfie ?

Pris d'une inspiration subite, je lui donne simplement le nom du motel.

— Ah, je vois, dit-elle d'un ton un peu détaché. Ça va ?

Elle a dû reconnaître ma voix, maintenant.

— Ça va. On peut se voir?
— Quand?
— Maintenant.
— Où?
— River Park.

River Park est le nom d'un parc dans le sud-ouest de Calgary dont elle a parlé pendant le voyage. Il y a une passerelle au-dessus de la rivière, près de laquelle elle va souvent quand elle a besoin de se relaxer. Le lieu est discret.

Je saute dans un taxi et, vingt minutes plus tard, je descends le sentier en pleine nature, perdu au cœur de Calgary, qui mène à la rivière Elbow.

Tout en bas, sous les arbres, je reconnais la silhouette de Violette. Je ne savais pas qu'on pouvait trouver des endroits aussi calmes et aussi propres dans une ville de cette taille. Violette y a l'air d'une fleur… Je la rejoins rapidement.

— Alors… Nemo? me fait-elle avec un sourire ironique.

— Je ne voulais pas te donner mon nom au téléphone, dis-je un peu piteusement. Je ne le fais jamais, c'est une question de sécurité. Nemo est mon nom de guerre.

— J'avais compris. Je suis moi-même assez prudente. Et Megan ?

Megan. C'est sous ce nom que Sonia s'est présentée.

— Elle s'occupe de la WWF, dis-je. Elle est assez douée en biologie. Elle peut y entrer facilement et tenter de les noyauter.

Bon sang, qu'est-ce qui me prend, de dévoiler ainsi nos plans ? Décidément, Nemo Higgs n'est plus ce qu'il était. C'est curieux, je ne me sens plus moi-même. Face à cette fille, qui doit avoir vingt ans de moins que moi, je suis perdu, empêtré, complètement infantile…

Est-ce un effet du temps ? Je ne me souviens pourtant pas d'avoir ressenti quoi que ce soit de semblable à l'occasion de mon premier voyage temporel. Non, rien à voir avec ça. C'est Violette qui me fait cet effet, qui… m'intimide. Ça semble idiot, je sais, mais je ne trouve pas d'autre mot.

Violette me sourit. On dirait presque que je l'amuse. Du coup, je ne sais plus comment entrer dans le vif du sujet. Je ne peux pas la questionner d'emblée sur Rose Selavy, ni lui expliquer pourquoi je la cherche. Je me mords les lèvres, comme un enfant pris en faute.

— Tu voulais me voir, Nemo? demande-t-elle alors d'une voix douce.

— Oui, oui, dis-je en bredouillant. Calgary est une ville très différente de ce que je connais. Et pourtant, comment dire, je m'y sens chez moi…

— Tu y connais quelqu'un?

— Oui, justement. Enfin, je croyais. Une amie. Mais je n'arrive pas à la contacter. J'ai peur qu'il ne lui soit arrivé quelque chose.

— Calgary n'est pas immense. Ton amie ne devrait pas être difficile à retrouver. Comment s'appelle-t-elle?

— Rose, dis-je, heureux que la question ne vienne pas de moi. Rose Selavy.

Violette tressaille.

— Rose Selavy? Comment la connais-tu?

— Une amie de ma famille. Une amie de longue date. Tu as entendu parler d'elle?

— Non, non. Je disais ça comme ça. Je n'ai jamais entendu ce nom-là.

Le visage de Violette a changé. Il s'est raidi, fermé. Que se passe-t-il? Elle ment, c'est évident. Le nom de ma mère lui a fait un effet violent qu'elle s'est efforcée de dissimuler mais qui ne m'a pas échappé. Que signifie pour elle le nom de ma mère? Une rivale? Quelqu'un qu'il faut protéger? Ou bien… quelqu'un de tellement abject qu'il ne faut même plus prononcer son nom?

— Je dois partir, maintenant, dit brusquement Violette. Si tu as besoin de moi, tu sais où me joindre.

Aussitôt, elle tourne les talons et se dirige vers la passerelle qui enjambe l'Elbow, puis elle disparaît de l'autre côté de la rivière. Et moi je reste là comme une statue, démonté, incapable du moindre mouvement.

Quelle malédiction a donc pu s'abattre sur mes parents, avant même ma naissance, pour que la simple évocation de leur nom ne puisse éveiller que le néant ou la peur?

Qui étaient-ils donc? Des monstres?

8

Disparitions

Tout au long de la semaine, j'ai pour-
suivi mes recherches à propos de ma mère.
À l'inverse de mon père, celle-ci existe bel
et bien, en chair et en os. J'ai trouvé sur elle
une foule de renseignements précis.

Comme l'affirmaient les dossiers con-
sultés avant mon départ, elle travaille effectivement pour un syndicat de fermiers du
sud dont j'ai facilement retrouvé la trace.
Du moins, il serait plus juste de dire qu'elle
travaillait pour eux, puisqu'il y a trois
mois, elle a disparu sans explication, selon
le porte-parole du syndicat avec qui j'ai
pu m'entretenir au téléphone.

Rose Selavy était une jeune femme très
douée, selon cet agriculteur qui, lui aussi,
avait fait des études supérieures.

— Trop douée, même, a-t-il ajouté avec amertume. Elle avait sans doute le sentiment de perdre son temps avec nous. Je la comprends. Je pense que c'est pour ça qu'elle est repartie, sans même oser en discuter avec nous.

— Savez-vous où elle est allée ?

— Je n'en sais rien, a répondu le fermier. Sans doute dans l'Est, à Toronto, peut-être. Je suis persuadé qu'elle a devant elle une brillante carrière dans la recherche, autant en biologie qu'en agronomie.

À propos de son caractère, ce type m'a parlé de sa douceur et d'un certain idéalisme qui faisait sourire ses collègues, mais qu'ils mettaient avec mansuétude sur le compte de sa jeunesse. Bref, ils ne lui en veulent pas trop d'avoir disparu à la mi-avril sans demander son reste.

Disparu ? Pas à Toronto, en tout cas, puisque à cette même date la police l'arrêtait lors d'une manifestation contre les activités de la Northern Oil Products. Ma dernière étape m'a donc tout naturellement mené à la police. Je m'y suis présenté comme un ami bien-pensant de la famille, sincèrement outré par le comportement antisocial de la jeune fille mais néanmoins désireux de lui venir en aide.

Après m'avoir fait patienter, puis traîner de bureau en bureau, on a fini par me renvoyer en me disant qu'aucune charge n'avait finalement été retenue contre Rose Selavy, et qu'elle avait donc été relâchée le lendemain même de son arrestation.

Toutefois, l'officier de police a bien voulu également me donner le nom de l'association dans laquelle militait Rose : The Wild Rose of Alberta !

J'ai essayé de me contenir devant ce policier, mais j'étais à deux doigts d'exploser de colère. Je suis sorti en essayant de conserver un air digne mais, aussitôt dehors, je ne suis précipité sur une cabine téléphonique. Violette m'avait menti salement et j'étais furieux de m'être laissé mener en bateau aussi facilement. Je m'en doutais, bien sûr, mais je ne pensais pas qu'elle avait pu se fiche de moi à ce point-là.

J'ai dû m'y reprendre à deux fois pour composer son numéro sans erreur tellement j'étais hors de moi. Hors de moi, je l'ai été encore plus quand j'ai entendu le message enregistré qu'on m'a servi comme réponse : le numéro que vous avez composé n'est plus en service !

Joué comme un débutant, une fois de plus ! Comme un enfant ! Par cette fille qui prétend m'empêcher de rencontrer ma propre mère ! Dire que je suis passé si près du but ! Pour me calmer, je suis allé marcher longuement au bord de l'Elbow, dans River Park. Bien évidemment, je n'y ai rencontré personne…

Me voilà de retour à la case départ. La chance qui nous a souri dès le début en nous faisant tomber précisément sur ce que nous cherchions est en train de m'abandonner. Par ma faute, en plus ! Je me rends compte que j'ai agi avec Violette en dépit de tout bon sens. C'est ça le plus rageant. Contre mes habitudes, je me suis montré stupidement infantile, dévoilant naïvement mes intentions, ruinant ma propre action.

Il est évident que non seulement Violette connaît Rose Selavy, mais qu'elle doit être extrêmement proche d'elle. Elle a été troublée quand j'ai prononcé le nom de ma mère et, quand j'ai insisté, elle a rompu le contact brutalement. Elle la protège, c'est clair, et pour mieux la protéger encore, elle a disparu, elle aussi.

Pourquoi tant de précautions? Délire paranoïaque, ou bien sont-elles réellement menacées par la Northern Oil ou la WWF? Je me demande même, maintenant, si Violette ne m'a pas pris pour un agent de ces compagnies dont elle a peur. Ce qui veut dire que je suis grillé auprès de tous les membres de la Wild Rose! Tenter une nouvelle approche va s'avérer pratiquement impossible.

De retour au motel, le soir même, je rencontre Sonia qui me demande où j'en suis de mon infiltration des groupes écologistes. Je lui réponds évasivement que ça va, que ça suit son chemin. Je n'ai pas envie de m'étendre sur le sujet. Mais Sonia ne lâche pas le morceau aussi facilement. Elle veut des détails, des noms, un plan d'action, un calendrier.

Ce n'est vraiment pas le moment de m'énerver. Je lui réplique avec mauvaise humeur que je connais mon boulot, que je ne vais pas lui taper un rapport de dix pages tous les soirs pendant un an, et que je le lui signalerai en temps voulu quand il y aura du nouveau.

Elle me regarde avec étonnement mais ne dit rien. Et puis, au bout d'un moment, elle ébauche un vague sourire moqueur en hochant la tête et repart dans sa chambre. C'est ça ! Qu'elle rie ! Je sais bien à quoi elle pense. Elle me prend pour un vieux qui a un retour de printemps ! Mais elle se trompe. Quand je pense qu'on en a pour un an ! Mais qu'est-ce qui lui a pris, à Robert, d'organiser une mission aussi longue ?

Il est vrai que, pour les techniciens du BSIA, le voyage est instantané puisque la durée de notre absence est si courte qu'elle n'est pas mesurable. Un grand éclair blanc et hop ! nous voici de retour, ayant vieilli d'un an alors qu'eux, les fesses vissées sur leurs fauteuils, n'auront même pas eu le temps de respirer ! Facile, dans ces conditions, de nous catapulter dans le passé pour n'importe quelle période ! Au moins, ils ne prennent pas de risques.

Finalement, incapable de prendre une décision, je passe le reste de la soirée, et une bonne partie de la nuit, à ruminer des idées noires et à me morfondre devant la télé. Ce qui me paraît le plus difficile à admettre, c'est ce gâtisme qui me prend quand je suis avec Violette Born. Je ne suis pas un débutant, pourtant ! Pourquoi cette régression lorsque je me trouve devant elle ?

Pendant les jours qui suivent, ne pouvant me libérer de cette obsession, je parcours Calgary à la recherche d'indices qui me permettraient de retrouver Rose ou Violette. J'ai l'impression de poursuivre des fantômes.

Bien sûr, je me rends immédiatement aux locaux de la Wild Rose, assez loin dans le sud-ouest de la ville. Là, un répondeur tient lieu de service d'accueil téléphonique. Je suis à peine surpris de constater que ces locaux sont déserts. L'association a déménagé sans prévenir, m'indique un voisin en me dévisageant d'un œil suspicieux.

— Ces gens-là, ajoute-t-il, c'est ennuis et compagnie. Je ne suis pas fâché qu'ils aient décampé…

Et sa porte se referme sans plus de cérémonie.

À l'Université de Calgary, pas plus de succès. Rose Selavy ayant fait ses études dans l'Est et en Europe, elle n'y est pas connue. Violette Born non plus.

Je furète également du côté d'autres associations de protection de la nature, mais là, on s'occupe davantage de petits oiseaux et de ramassage de bouteilles que de compagnies trop puissantes. La Wild Rose, me dit-on à plusieurs reprises, est plutôt une association politique que de protection de la nature. Le ton sur lequel le mot *politique* est prononcé en dit long sur ce que ces protecteurs d'écureuils et de geais bleus pensent de l'écologie véritable…

Finalement, dix jours après la disparition de Violette, j'en suis toujours au même point. Ce n'est pas le cas de Sonia qui, un soir, m'annonce triomphalement qu'elle a du nouveau.

— Sais-tu qui vient d'arriver à Calgary? me demande-t-elle tout excitée. Dirac! Dirac lui-même, le complice de Pauli, son bras droit.

— Tu crois qu'il nous a retrouvés?

— Rassure-toi, fait-elle avec ironie. Sa venue ici n'a rien à voir avec nous. Il vient simplement pour développer un projet auquel je suis associée. Un des projets les plus secrets de la Western Wild Food.

Sonia, effectivement, n'a pas perdu son temps. Depuis quelques jours, elle s'est fait embaucher par la WWF où – selon ses propres dires – elle a brillé par l'étendue de sa science et a ébloui ces messieurs en blouse blanche. Du coup, lorsque le projet Pauli-Dirac a été annoncé, c'est elle qu'on a proposée comme experte en biologie pour épauler le maître.

Dirac est arrivé hier soir et Sonia a passé la soirée avec lui.

— Le pauvre, dit-elle en éclatant de rire, il ne savait pas ce qu'il devait admirer le plus, mes jambes ou mes connaissances scientifiques dans son propre domaine, où je le surpasse de beaucoup, comme tu peux t'en douter. J'ai quarante ans d'avance sur lui !

Oh oui, je m'en doute, qu'elle le surpasse. Pauvre type ! Elle n'en fera qu'une bouchée.

— Je te tire mon chapeau, Sonia. Tu vas faire une belle carrière dans ce début de siècle qui s'annonce.

— Allons, ne sois pas jaloux, Nemo. C'est ma mission et je la mènerai jusqu'au bout. La WWF n'aura bientôt plus de secrets pour moi et j'en ferai ce que je voudrai.

— Et en attendant, en quoi consiste-t-il, ton fameux projet Dirac ?

— C'est très simple. Tu te souviens des rats de Pauli, non ? Gras, pleins de santé et dépourvus de toute agressivité.

— Des citoyens modèles, en somme.

— Exact. L'expérience a été jugée concluante. Il n'y a plus qu'à tester ce même régime sur les gens, et la WWF pourra mettre sur le marché les produits alimentaires les plus sains du monde et conquérir la planète.

— Et qui seront les heureux goûteurs de ces délicieux gâteaux aux résidus de pétrole ? Tu veux me proposer un petit boulot pour arrondir mes fins de mois ?

— Il ne s'agit pas de bricolage, Nemo. Je te parle sérieusement. La WWF a mis au point un programme d'aide aux autochtones qui a reçu l'aval du gouvernement provincial. C'est la réserve Sarcee, ici même à Calgary, qui servira de test. Tout au long de l'année, les enfants de la réserve seront nourris exclusivement avec des produits WWF. Gratuits, bien sûr, et distribués à volonté. Les services de marketing, pendant ce temps-là, prépareront la mise en marché. D'ici un an, tout sera prêt.

— Et moi, pendant ce temps-là ?

— Toi ? fait Sonia en durcissant le ton. Je te rappelle que tu es là pour enquêter sur ces illuminés qui cherchent à faire capoter le projet, ou qui chercheront à le faire. Tu as carte blanche pour ce qui est des méthodes. Sur ce, je dois te laisser, j'ai rendez-vous avec Dirac.

Sonia disparaît dans un nuage de parfum. Un nouveau parfum. Offert par Dirac ?

Soudain, je repense au parfum de Violette. Un parfum très discret, peut-être même pas un parfum. Son odeur naturelle, tiède, rassurante, confortable…

Pauvre fille ! Que peut-elle faire contre des gens comme Pauli et Dirac, qui représentent des intérêts capables d'acheter des gouvernements? Des intérêts que je suis censé défendre, d'ailleurs. C'est l'objet même de ma mission ici. Et pourtant, allongé sur mon lit, seul face à moi-même, je me rends compte que ces intérêts, si énormes soient-ils, ne sont rien à côté de celui que j'éprouve pour Violette Born. Nemo Higgs a bien changé...

Changé ou pas, il faut pourtant bien que je me décide à agir. Quel sens vais-je donner à mon action? Je ne le sais pas encore, je suis devenu incapable d'avoir une perspective à long terme. Une chose est certaine: quoi que je fasse, la première étape va être de retrouver Violette Born, puisque c'est elle la clé de toute l'affaire.

Là encore, mes motivations ne sont pas claires. Je dois la retrouver, c'est l'objet de ma présente mission. Mais, au-delà de ce devoir, et beaucoup plus fort que lui, c'est surtout un désir irrépressible que j'ai de la voir. Et pourtant, je ne suis pas amoureux, quoi qu'en pense bêtement Sonia. C'est autre chose. Quelque chose de plus fort et que je ne comprends pas.

Si je cherche aussi désespérément à la revoir, ce n'est plus pour noyauter son organisation ni pour l'espionner. C'est, je dois bien me l'avouer, pour la protéger. Pour la prévenir de l'arrivée de Dirac à Calgary, pour faire le contraire de ce pour quoi on m'a envoyé ici…

Dès le lendemain matin, ma décision est prise. Je vais prendre contact avec elle, en utilisant un moyen classique qui n'a qu'une chance sur dix de réussir, mais c'est le seul que je puisse tenter maintenant.

Je me présente de nouveau au *Calgary Herald*. J'ai une petite annonce à passer. Un texte très court, très simple, qui probablement se perdra sans résultat, mais qui a l'avantage de ne compromettre personne :

Fleurs sauvages, méfiez-vous. L'éleveur de rats est revenu. Signé: Nemo.

Il n'y a que deux personnes à Calgary qui connaissent mon prénom. Mais je doute que Sonia, à l'heure qu'il est, perde du temps à éplucher les journaux…

9
Devant la réserve

C'est le téléphone qui me réveille dans mon lit. Je réponds par un grognement qui, aussitôt, se transforme en un balbutiement gêné : je reconnais la voix de Violette ! Une voix douce qui me tire du sommeil comme j'aurais aimé qu'on le fasse quand j'étais petit...

— Nemo ?

— Tu as trouvé mon message ?

— Oui. Alors Pauli est ici...

— Pas Pauli. Un certain Dirac, un de ses collaborateurs, je suppose.

— Alors, c'est pire...

— Tu le connais ?

— Pas directement. Pauli est un cerveau, je le connais, j'ai été son élève à

Toronto. Un cerveau sans morale, peut-être, mais un cerveau. Dirac n'est que son homme de main. Brutal, sans scrupules, ambitieux. Même Pauli a peur de lui.

— Violette, pourquoi as-tu disparu? demandé-je alors ingénument, tout en me rendant compte que ma question était totalement hors de propos.

— Sais-tu si Dirac est venu ici pour une raison précise? reprend Violette, ignorant ma question.

— Oui. Il est là pour mener une nouvelle expérience.

Et je lui répète, sans rien omettre, tout ce que m'a raconté Sonia. Ce faisant, j'agis contre mes intérêts officiels mais, inexplicablement, je me sens soulagé de l'avoir fait. Comme si, maintenant, je *méritais* de la revoir.

Au bout du fil, c'est le silence. La gorge nouée, je repose ma question:

— Violette, pourquoi as-tu disparu?

— Et toi, pourquoi m'as-tu menti? finit-elle par dire après un interminable silence.

— Ce serait trop long à expliquer, fais-je pour éluder la question.

Malgré mon envie d'être honnête avec elle, je ne me vois pas en train de lui annoncer que je viens du futur. Elle me raccrocherait au nez, définitivement, cette fois. D'un autre côté, je me rends compte que la réponse que je viens de lui faire est complètement stupide. C'est la réponse type, idiote, de quelqu'un qui ne veut pas répondre.

— Je veux dire que c'est assez malaisé, au téléphone, dis-je pour tenter de me rattraper. Et puis… c'est une histoire assez insensée, je ne sais pas si tu me croirais.

— Pourquoi pas ? répond Violette. Si tu me donnes une raison de te croire…

— Alors, donne-moi cette chance.

Finalement, Violette accepte de me donner rendez-vous. Nous devons nous retrouver ce soir à l'extrémité ouest du lac artificiel de Glenmore, qui est à cheval sur le quartier sud-ouest de la ville et sur la réserve Sarcee.

Cette réserve est un long rectangle orienté est-ouest, dont l'extrémité orientale est plantée dans la ville de Calgary. D'après des statistiques assez anciennes que je trouve à la bibliothèque municipale, elle n'est peuplée que de mille cinq cents à deux mille personnes. Exactement le genre de laboratoire grandeur nature que pouvait désirer Dirac pour son expérience.

Tout au long de la journée, je suis agité de sentiments contradictoires. Bien sûr, je n'éprouve pas une sympathie très vive pour des gens comme Dirac ou Pauli, mais on m'a toujours appris que c'était des gens comme ça qui faisaient progresser l'humanité.

Et puis, franchement, que ce qu'on ingurgite provienne de déchets industriels traités et recyclés ou d'animaux vivants qu'on a élevés et tués pour être mangés, quelle importance? Au contraire, cette dernière solution me paraît de loin la plus barbare. Alors, pourquoi des organismes comme la Wild Rose of Alberta s'acharnent-ils contre de telles entreprises?

Quand j'arrive au bout de Glenmore, le ciel est encore clair mais l'horizon, à l'ouest, semble avoir été peint en rouge. Bien que je sois encore en ville, je suis surpris de voir qu'à ce niveau, au bord de la rivière Elbow qui alimente le lac, aucune construction humaine n'est visible, à part la passerelle qui l'enjambe. De part et d'autre de la rivière, ce ne sont que des collines boisées qui masquent les immeubles de Calgary. La ville paraît s'être évanouie. Un autre monde...

Une main se pose sur mon épaule. Je sursaute.

— Tu rêvais? me demande Violette, que je n'ai pas entendue approcher.

Sans rien ajouter, elle repart sur le sentier qui s'enfonce sous les arbres vers le sud-ouest, juste après le pont. Je lui emboîte le pas.

Je marche à ses côtés, silencieux. De nouveau il me semble sentir son parfum, son odeur, et je me sens fondre. Au diable Dirac, Sonia, la WWF et le BSIA! Je me sens bien, simplement.

— Regarde, me dit soudain Violette alors que nous venons d'arriver à un haut grillage au-delà duquel on ne voit que de l'herbe et quelques arbres. Voici la réserve Sarcee. Dès demain, des enfants vont y servir de cobayes pour satisfaire les intérêts d'une poignée de sociétés sans scrupules.

J'essaie de voir ce qui peut distinguer cette réserve des terrains environnants. Rien, en apparence, si ce n'est qu'il s'y trouve des gens qui, une fois de plus, vont se faire abuser sous couvert de belles promesses. Mais que faire ? Que puis-je faire ? Je ne suis ici qu'un observateur, je ne peux pas changer le cours des choses. Sonia non plus, d'ailleurs. Elle ne peut que truquer un peu d'information pour maquiller les dossiers de sociétés qui n'existent pas encore. Ce sont Pauli, Dirac et leurs semblables qui mènent la danse.

— De quel côté es-tu, Nemo ? me demande brusquement Violette.

— Je ne sais pas, fais-je en secouant la tête. Je ne sais plus. Bien sûr, ces gens dans la réserve se font tromper, on les expose à des risques inconnus, mais est-ce bien sûr ? Lis soigneusement les étiquettes indiquant la composition de n'importe quel produit alimentaire en vente dans n'importe quel magasin.

— Chimie, je sais, réplique Violette. Produits de synthèse, de remplacement, hormones, conservateurs, additifs, et j'en passe. Mais où cela va-t-il s'arrêter ? Et avec quels effets à long terme sur la population ? Tu as vu toi-même les rats gavés de ces substances que Pauli veut maintenant donner aux habitants de la réserve. Des bêtes privées de toute volonté, de tout instinct. Des larves, des zombis !

Je repense aux dernières statistiques sur la délinquance juvénile que j'ai lues avant mon départ. Effectivement, les générations entièrement élevées aux produits WWF ou leurs équivalents sont beaucoup plus calmes, plus sociables, dit-on. Les plus âgés parmi ceux qui ont suivi ces traitements de façon intensive doivent avoir aujourd'hui dans les vingt-cinq ans. Ils sont brillants de bonne heure et grandissent rapidement. Mais on dit aussi que, très vite, ils décrochent, qu'ils sont totalement dépourvus d'ambition, d'énergie, d'intérêt pour quoi que ce soit. Qu'ils deviennent des veaux, en somme. Des fantômes…

Violette a sans doute raison, dans l'absolu. Mais historiquement, hélas, elle a tort. D'accord, la WWF va bientôt disparaître, à la suite des campagnes de presse menées par des gens comme elle, des écologistes, des nutritionnistes, des éleveurs.

Mais d'autres sociétés prendront le relais, plus habiles, plus fortes, et qui seront capables d'élaborer des produits alimentaires à partir de n'importe quels déchets industriels, même les plus dangereux. Je le sais et je n'y peux rien. Je ne peux pas modifier le passé.

Mon impuissance me monte à la gorge. Et Violette est là, face à moi, elle attend quelque chose de moi. Tout ce que je peux faire, c'est l'orienter vers une action qui est celle que je sais s'être déroulée dans ce qui est mon passé. Je lui demande :

— As-tu des contacts dans la réserve ?

— Pas personnellement, mais des amis en ont.

— C'est par là qu'il faut commencer. Des sociétés comme la WWF ou la Northern sont très puissantes, d'accord, mais il existe quelque chose qu'elles craignent plus que tout et qui peut leur causer beaucoup de tort : l'opinion publique.

— La presse est vendue, dit Violette avec amertume.

— Pas forcément. Les journaux vivent de la même chose que la plupart des autres compagnies, l'opinion publique, une fois encore. La façon de procéder de la WWF envers les Indiens sarcee est révoltante. Elle le sait parfaitement puisque son projet est ultrasecret. Qu'un seul journal jette ce pavé dans la mare et les autres lui emboîteront le pas pour ne pas être en reste, et pas seulement à Calgary. Si la campagne est bien orchestrée, les journaux de tout le pays s'y rallieront.

Mon propre optimisme m'étonne. Mais est-ce vraiment de l'optimisme ? Je ne fais que réciter une leçon d'histoire. Tout de même, j'ignorais que j'étais capable de défendre une cause… Violette, cette fois, me regarde avec intérêt.

— Tu as sans doute raison, dit-elle. Alors, il faut faire vite. Je vais contacter mes amis.

Ses amis. Rose Selavy aussi ? Je reprends espoir. Mais comment regagner sa confiance, maintenant ? Je ne sais pas par où commencer. Nous remontons le chemin silencieusement. Je me demande jusqu'où elle me laissera l'accompagner.

— Maintenant, Nemo, j'aimerais que tu me dises une chose, dit enfin Violette alors que nous sommes revenus à la passerelle. Pourquoi m'as-tu menti à propos de Rose ?

Mon estomac se noue.

— Je ne t'ai pas menti, Violette. Je recherche vraiment Rose, mais pas pour les raisons auxquelles tu peux penser. J'ai réellement des liens très forts avec elle, des liens que je peux difficilement expliquer. Il est très important pour moi de la rencontrer. C'est pour ça que je suis venu à Calgary, et je t'assure que j'ai fait beaucoup de chemin pour ça. Beaucoup plus que tu ne peux l'imaginer…

— Je ne comprends pas. Je connais personnellement Rose. Je veux dire que je connais tous ses amis, toute son histoire. Nous sommes très intimement liées. Et pourtant, je n'ai jamais entendu parler de toi. Comment veux-tu que je te croie ?

— Je ne sais pas *comment* tu peux me croire. Tout ce que je sais, c'est que tu *dois* me croire. Je sais bien que tu la protèges, mais il faut absolument que je la rencontre. Il n'y a qu'à elle que je puisse expliquer ce qui m'a amené ici. C'est une question… de vie ou de mort.

Violette secoue la tête en soupirant.

— J'avoue que j'ai du mal à te cerner, Nemo. Je ne comprends toujours pas qui tu es. Je soupçonne que Nemo est ton vrai nom et que c'est Allen Wood ton fameux nom de guerre. Mais quelle guerre, Nemo ? D'où viens-tu vraiment ? Que cherches-tu ? Tu comprends bien que, sans la vérité, je ne pourrai jamais te conduire jusqu'à Rose. Elle refusera de te voir.

— Ma vérité dépasse l'imagination, Violette. Tu me croiras si je la dis ? Je ne pense pas. Cette vérité n'est pas croyable. Si je te l'expose, tu me prendras pour un fou.

— Alors, c'est sans espoir.

Déjà elle repart, s'engageant sur le pont. L'unique chance de retrouver ma mère est en train de disparaître. Tout est fichu. Je décide de jouer le tout pour le tout. Je la rattrape.

— Écoute, Violette. Il y a une chose que je peux t'avouer, même si après tu dois me détester. Promets-moi seulement de m'écouter jusqu'au bout.

Elle s'arrête et me fait face. Son visage a quelque chose de bouleversant. Je ne peux plus mentir davantage.

— Voilà. Je m'appelle Nemo Higgs, en effet. Je ne fais partie d'aucun groupe illégal de lutte contre les abus des multinationales. Au contraire, Sonia et moi travaillons pour une administration qui les protège, qui couvre leurs magouilles, qui traque les gens comme toi…

— C'est bien ce que je pensais, mais…

— Attends. Ceci est la raison officielle pour laquelle on m'a envoyé ici. Mais, comme tu l'as vu, je commence à prendre mes distances vis-à-vis de mes employeurs. La véritable raison qui m'a fait accepter cette mission, c'est que je voulais revenir ici, à Calgary, pour y retrouver deux personnes qui représentent tout pour moi.

— L'une d'elles étant Rose Selavy, d'accord. Et l'autre ?

— Nemo Higgs.

Violette ouvre de grands yeux.

— Il y a un autre Nemo Higgs, Violette. Un Nemo Higgs qui n'a laissé aucune trace, mais qui existe néanmoins. Et le seul moyen de le retrouver, c'est Rose Selavy. Elle est… elle est son seul lien avec le monde.

Violette me regarde intensément, fronçant légèrement les sourcils. Elle se demande probablement si je suis fou et si elle ne ferait pas mieux de s'enfuir à toutes jambes. Je sens toutefois qu'elle hésite, que quelque chose l'incite à me croire, malgré l'invraisemblance de mon histoire.

— Violette, conduis-moi jusqu'à elle, c'est tout ce que je demande. Permets-moi de la voir, même de loin, fais-moi au moins entendre sa voix…

Violette soupire de nouveau. Elle paraît ébranlée, mais un fond de méfiance semble encore la retenir.

— D'accord, finit-elle par laisser tomber d'une voix lasse. Je lui parlerai. Mais il faut me laisser le temps… Quelques jours, peut-être… Je te rappellerai.

Puis elle me tourne le dos et traverse le pont d'un pas vif et nerveux.

Je m'accoude sur le parapet et regarde l'eau couler, jusqu'à ce que la nuit tombe.

10
Offensive

Sonia vient de faire irruption dans ma chambre comme une furie.

Depuis trois jours, je ne vis plus. J'attends, affaissé sur mon lit, n'osant pas sortir de ma chambre, de peur de manquer l'appel de Violette. Je ne me rase plus, j'ai l'air d'un clochard. L'arrivée de Sonia me fait l'effet d'une douche froide.

— C'est comme ça que tu travailles ? s'écrie-t-elle en brandissant un journal à bout de bras. Tu te fiches de moi ou quoi ?

Il s'agit du *Globe and Mail,* un quotidien national basé à Toronto. En dernière page, un court article mentionne l'expérience douteuse menée par la WWF et un certain monsieur Dirac sur le territoire d'une réserve indienne près de Calgary, en Alberta.

L'article fait référence à une série de dénonciations publiées les jours précédents par le *Calgary Herald* et le *Edmonton Journal*. Il rappelle aussi le cas de ces villages inuits dans lesquels les États-Unis avaient secrètement effectué des tests sur les effets de la radioactivité sur l'homme, dans les années 1950.

— Tu te rends compte du gâchis, Nemo ? hurle-t-elle. Quinze jours d'efforts réduits à néant, la mission définitivement compromise, peut-être ! Mais qu'est-ce que tu fabriques, bon sang ?

Étouffée par sa propre colère, Sonia est prise d'une violente quinte de toux qui la plie en deux et la laisse haletante, les larmes aux yeux. Elle s'appuie sur le rebord de ma table pour reprendre son souffle.

— Calme-toi, Sonia, fais-je d'une voix tranquille. Tu perds la tête, ou quoi ? Tu savais pertinemment que les choses s'étaient passées ainsi avant d'entreprendre ce voyage, et tu sais également que nous ne pouvons en rien modifier ces événements. Tu sais comment tout cela va finir : la WWF va fermer sous la pression des écologistes et des associations de consommateurs qui vont se mettre de la partie. T'agiter ne servira à rien.

— M'agiter ! rugit-elle. Mais c'est toi qui devrais peut-être t'agiter un peu, mon petit Nemo ! Tu es censé être au courant des faits et gestes du moindre de ces groupuscules d'activistes. Pourquoi ne m'as-tu pas avertie ?

— Ces groupuscules, comme tu les appelles, sont plus puissants et mieux organisés que tu ne penses, dis-je pour désamorcer la bombe. Je suis même certain qu'ils ont des taupes à la WWF. Ça expliquerait pourquoi le projet a été éventé…

Cette dernière affirmation est totalement gratuite, bien sûr, et même hautement improbable. Mais elle me permet de retourner la colère de Sonia contre un autre objet et de diriger ses soupçons ailleurs.

Le coup semble avoir porté. Sonia s'assoit. Je remarque que ses mains tremblent, ce qui n'est pas son habitude. Elle a l'air épuisée, hors d'haleine.

— Bien, bien, murmure-t-elle en portant machinalement la main à son cœur. Je mettrai Dirac au courant. S'il faut faire le ménage, il le fera. Et de ton côté, où en es-tu avec cette fille, celle qui nous a amenés de Toronto dans sa caisse à savon ?

— Violette ? Ne t'inquiète pas. Bientôt, je serai en mesure de te donner l'organigramme complet de toutes les organisations qui t'intéressent. Je la travaille au corps…

— Ça, je m'en doute, fait Sonia avec un sourire ironique. De ce côté-là, tu n'as pas l'air d'être resté inactif. On peut savoir ce que tu lui trouves, à cette jeune idiote ?

— Écoute, Sonia, tu m'as dit que j'avais carte blanche pour ce qui est des méthodes à employer, non ? Alors, ne t'en occupe pas et laisse-moi jouer mes atouts.

— Très bien, don Juan, conclut-elle en se levant brusquement. C'est à toi de jouer, justement. J'attends de tes nouvelles.

Et elle repart aussi vite qu'elle est arrivée, claquant la porte derrière elle. Je suppose qu'elle va rejoindre Dirac. Dans son état, je pense qu'elle ferait mieux d'aller se reposer un peu. Qu'importe ! La seule chose qui m'intéresse, c'est la voix qui va sortir de ce téléphone et que j'attends avec impatience.

En tout cas, Violette n'a pas perdu son temps. J'espère seulement qu'elle aura pu en consacrer un peu à mon affaire.

Je suis à moitié endormi quand le téléphone sonne enfin. Je me détends comme un ressort et attrape le combiné, le cœur battant. C'est bien elle.

— Alors ? fais-je anxieusement après les civilités.

— Eh bien, fait Violette d'une voix neutre, Rose est partie…

— Quoi ?

— Pas définitivement, bien sûr. Elle a dû s'absenter pour quelques jours, mais tu pourras peut-être la rencontrer à son retour. En attendant, eh bien… nous pourrions avoir besoin de toi…

Message reçu. Rose n'est pas partie, je n'en crois pas un mot. Elle n'a toujours pas confiance, c'est tout. Je la comprends, ses ennemis ne sont pas des tendres, elle se méfie. Elle veut donc m'observer, me tester. Ce qui signifie que j'y suis presque. Ce n'est pas le moment de rater mon examen. Violette ne me laisse pas le temps de répondre, elle enchaîne aussitôt :

— Nos dossiers sur la WWF sont assez complets, mais nous ignorons toujours où exactement sont fabriqués ces fameux aliments dérivés de déchets pétroliers. C'est là que tu peux nous aider. Nous savons que leur usine pilote se trouve quelque part à Calgary. Trouve cette usine et avertis-nous. C'est dans tes cordes ?

— Je pense, oui. Où puis-je te joindre ?

— C'est moi qui te rappellerai. Disons… demain soir ?

— Entendu.

Elle raccroche aussitôt. Demain soir… C'est court. Le renseignement paraît facile, mais c'est Sonia qui ne l'est pas. Comment lui tirer les vers du nez sans qu'elle se méfie ? Elle est retorse. Utiliser un vieux truc, peut-être, prêcher le faux pour savoir le vrai. Sans plan précis, en fin d'après-midi, je me rends tout de même chez elle.

Je frappe à la porte. Pas de réponse. Sa voiture est là, pourtant. Je recommence. Au bout d'un long moment, d'une voix faible que je ne lui connais pas, elle me répond enfin d'entrer.

À l'intérieur, je la trouve avachie dans un fauteuil, les cheveux en bataille, les yeux mi-clos et la bouche entrouverte. Son élégance habituelle en a pris un coup. Quand je pense à son coup de gueule de ce matin ! On dirait que ça l'a complètement anéantie. Elle tourne lentement la tête vers moi.

— Je ne sais pas ce que j'ai, soupire-t-elle. Je suis exténuée, j'ai l'impression d'avoir ton âge…

Mouais… Fatiguée ou pas, elle n'a pas perdu son sens de l'humour. Je me sens donc autorisé à répliquer sur le même ton :

— C'est Dirac qui te met dans cet état ? Tu devrais peut-être lui offrir une nouvelle secrétaire…

— Il ne s'agit pas de ça, Nemo, répond-elle amèrement. D'ailleurs, je jouis d'une excellente santé et c'est lui qui craquerait le premier. Enfin, je croyais… En fait, je suis épuisée. Je m'essouffle pour un rien, j'ai des douleurs dans le dos. Je crois que j'ai grossi. Hier, j'ai même trouvé des cheveux blancs sur mon peigne…

Il me semble qu'elle exagère un peu. Elle a l'air plutôt bien conservée, pour une trentenaire. Elle bosse trop, c'est tout. Elle n'a qu'à se reposer. Mais enfin, je ne suis pas là pour m'étendre sur ses états d'âme. Au contraire, je devrais profiter de sa faiblesse momentanée pour lui extorquer le renseignement que je suis venu chercher.

— Bien, venons-en au fait, dis-je un peu brutalement. À propos des agissements des écologistes…

— Écoute, Nemo, je suis vraiment fatiguée. Tout ce que je peux faire maintenant, c'est m'endormir ici même, dans ce fauteuil. Alors, rends-moi un service : donne directement les renseignements à Dirac. J'avais rendez-vous ce soir avec lui pour lui remettre un dossier. Vas-y à ma place et excuse-moi auprès de lui.

— Vraiment, Sonia…

— Fais-le, Nemo. S'il te plaît. Dirac sera toute la soirée au labo. Tout ce que je te demande, c'est d'être extrêmement discret. Ce laboratoire est encore secret, et il le sera tant que durera l'expérience dans la réserve. Évite de te faire suivre. Tes « amis » te surveillent peut-être.

Dois-je sauter en l'air ? Sonia me sert tout cru, sans que je le lui aie demandé, le tuyau que je me préparais à lui arracher de haute lutte. Je n'apprécie pas trop sa réflexion sur mes « amis », mais elle semble n'y avoir mis aucune malveillance. La chance tourne…

— Pas de problème, dis-je. Je ne suis pas un débutant, tout de même. Donne-moi l'adresse et ce dossier. Dirac l'aura ce soir.

— D'accord. Laisse-moi juste le temps de lui passer un coup de fil. Le dossier est là, sur la table.

Bon prince, je lui apporte son téléphone. Quand je la quitte, quelques minutes plus tard, elle n'a pas changé de position. J'ai même l'impression qu'elle s'est déjà endormie, affalée dans son fauteuil.

Quelques heures plus tard, je me retrouve dans une zone industrielle du sud-est de la ville, errant dans un dédale obscur d'entrepôts et de dépôts de ferraille. Décidément, la WWF est friande de ce genre de paysages sinistres.

Le bâtiment ne porte aucune enseigne, aucun logo qui montre son appartenance à la WWF ou au groupe Northern Oil. Une construction basse et grisâtre qui me rappelle un peu celle de Toronto. Comme là-bas, l'essentiel doit se trouver au sous-sol. À la porte, un vigile mal embouché m'accueille avec une tête de bouledogue dans un hall d'entrée étroit et sombre.

Après que je lui ai répété au moins trois fois mon nom – celui d'Allen Wood –, le cerbère, qui semble avoir enfin compris, décroche le téléphone intérieur et demande Dirac. Il écoute vaguement une réponse en hochant la tête, puis raccroche après avoir émis un grognement.

— On va venir vous chercher, fait-il de sa voix pâteuse tout en me lançant un regard méfiant.

Apparemment, il vient d'épuiser ses capacités de conversation. Sans me quitter des yeux, le gorille va se poster dos à la porte de communication avec l'intérieur, jambes écartées, pouces passés dans sa ceinture. Je ne sais pas bien quelle cuisine ils mijotent là-dedans, mais les recettes en sont bien gardées.

Enfin, après m'avoir fait attendre un bon moment, un homme franchit la porte.

Le gorille grogne un coup puis, semblant reconnaître le nouveau venu, il s'efface avec déférence.

L'homme est grand, blond, l'air assez athlétique. J'ai l'impression que sa blouse blanche lui a été taillée sur mesure. Physiquement, tout le contraire de Pauli.

— Monsieur Wood? fait-il avec un sourire forcé qui ne lui soulève qu'un coin de la bouche. Je suis le professeur Dirac.

Dirac me tend sa main de champion de lancer du javelot. J'esquisse un sourire pour répondre au sien et je lui tends la main à mon tour. Il me lance alors un regard glacial, puis abaisse les yeux vers la sacoche que je tiens sous mon bras. Je comprends immédiatement ma bévue. Je retire prestement ma main et lui tends le dossier. Une sueur désagréable se met à couler le long de mon dos.

Toujours de marbre, Dirac s'empare des documents et exécute un rapide demi-tour sans même se fendre d'un remerciement. Juste avant de disparaître, il lance froidement par-dessus son épaule:

— Mes hommages à mademoiselle Sonia…

La porte s'est refermée sur lui. Le gorille me couve maintenant d'un œil hostile, me faisant nettement sentir que, dorénavant, je suis de trop ici.

Chiens ! Chacals ! Dirac ne m'a même pas regardé. Il n'a vu en moi qu'un porte-documents, un livreur assimilable à un objet. Comment Sonia peut-elle travailler avec un individu aussi répugnant ? Il est vrai qu'elle n'a pas ma dégaine d'employé de bureau qui se serait trompé de siècle. Qu'importe ! Je suis furieux. J'ai été mortellement vexé par ce type et ses airs supérieurs. Mais ce qu'il ne sait pas, c'est qu'il ne va pas tarder à payer !

Maintenant, il me faut attendre jusqu'à demain pour que Violette me contacte. Mais si elle a besoin d'un volontaire pour flanquer une bombe dans cette usine de merde, je suis son homme ! Vingt ans ou presque au service du BSIA, vingt ans à protéger – sans poser de questions – des crapules dans le genre de Dirac, vingt ans à exécuter les basses œuvres de ces messieurs, et se faire traiter au bout du compte comme une vulgaire crotte de chien ! C'est

vraiment sans aucun regret que je don-
nerai l'adresse de ce labo à Violette…

J'ai passé ma nuit à tourner en rond, à
traîner dans des bars de cow-boys, écou-
tant de la musique country en compagnie
de gars coiffés de chapeaux de gardiens de
vaches. Puis j'ai passé la journée à me
morfondre, à marcher dans les rues au
hasard pour ne pas avoir à rester enfermé
dans ma chambre. Je ne suis rentré qu'à
six heures du soir, exténué, et l'attente a
commencé.

Et puis, à huit heures pile, le téléphone
sonne. Je me redresse d'un bond, arrache
le combiné de son support. C'est elle.

— Nemo ?

— Oui.

— Quelles nouvelles ?

— J'ai ton renseignement.

— Parfait. On peut se voir ?

— Bien sûr, quand tu veux. Et… et
Rose ?

— Elle rentre demain. Je lui ai parlé.
Elle est d'accord pour te rencontrer.

Enfin !

11
Violette et Rose

Demain, je verrai donc enfin ma mère.

En attendant, Violette m'a donné rendez-vous à neuf heures dans un restaurant du centre-ville. J'ai eu le temps de me doucher, de me raser. Globalement, je suis présentable, mais j'ai presque honte de ce costume de clown que je traîne depuis mon arrivée à Calgary…

Nous nous retrouvons dans un restaurant français de la 17e Avenue Sud-Ouest, une avenue animée, pleine de restaurants, de galeries d'art et de cafés. En cette fin de juillet, la rue déborde de monde, comme si cette petite portion de la ville concentrait tout ce que celle-ci contient de vivant.

Violette est déjà assise à une table, tout au fond, et elle me fait signe. Elle est seule. J'éprouve un sentiment étrange et contradictoire. D'abord, une légère déception : sincèrement, je pensais que Rose serait là, elle aussi, que ce rendez-vous n'était qu'un prétexte, une mise en scène pour me la présenter enfin.

Machinalement, je jette un coup d'œil circulaire dans la salle aux lumières tamisées, cherchant une femme seule qui aurait l'air d'attendre… Mais non, personne. Du moins, uniquement des couples.

D'un autre côté, pourtant, je suis ravi. Un dîner en tête à tête avec Violette… Je me sens très loin de Dirac et de ses expériences inavouables, très loin de Sonia et de son machiavélisme.

Je m'assois en face d'elle. Elle porte ce soir une robe légère qui met son cou et ses épaules en valeur, elle est maquillée, porte quelques bijoux. Elle est belle, tout simplement. Je me sens incroyablement bien. J'écoute à peine ce qu'elle dit, je me contente de savourer sa voix, sa voix extraordinairement douce, une voix qui coule comme un sirop…

Je la laisse choisir nos plats. Le menu, pour moi, est incompréhensible. Des plats délicieux, sans doute, mais qui n'existent pratiquement plus sur ce continent à l'époque d'où je viens. L'exotisme total…

Je suis dans un tel état d'euphorie que, lorsque je lui donne l'adresse du laboratoire de la WWF et lui raconte ma brève entrevue avec Dirac, c'est presque comme si je parlais du beau temps ou du dernier film que j'ai vu. Et puis, très vite, nous revenons à des sujets plus personnels.

Le repas est excellent et bien arrosé. Violette a l'air de s'y connaître en vins. Elle m'apprend à regarder, à sentir, à apprécier ce qu'il y a dans mon verre au lieu d'en vider le contenu d'un trait.

Ce n'est plus une militante idéaliste que j'ai devant moi, mais une jeune femme enjouée, infiniment séduisante, qui sait profiter de la vie. Qui est-elle vraiment ? Me manipule-t-elle pour obtenir de moi des renseignements ? Non, je ne crois pas. D'ailleurs, l'idée ne fait que m'effleurer. Sa sincérité ne fait aucun doute pour moi.

J'ai connu d'autres femmes, bien sûr, mais chez aucune je n'ai senti cette pulsion de vie, cette vitalité communicative qui fait de moi un autre homme. Avec elle, mes années s'allègent, disparaissent. J'ai l'impression de renaître...

C'est comme si le temps s'était arrêté de couler. Je ne sais plus qui je suis, d'où je viens. Je suis ici et maintenant, tout simplement, et je me sens bien.

La soirée, inévitablement, se termine chez elle. Le scénario semble avoir été écrit à l'avance... Nous avons d'abord marché longuement en sortant du restaurant, dans le quartier Mount-Royal. Un entrelacs de rues sinueuses et désertes, tout à fait inattendues dans cette ville rectiligne et sans imagination, boisées et bordées de villas luxueuses. L'air était doux, son parfum affolant. Je lui ai pris la main. Puis la taille...

Enfin, dans sa petite voiture, elle m'a emmené chez elle pour boire un dernier verre. La soirée s'est prolongée, lumières douces, chuchotements, intimité rapprochée... Bien entendu, je ne suis pas rentré chez moi...

Au matin, pourtant, cet état de ravissement délicieux a disparu. Je ressens une sorte de gêne, une oppression diffuse sur la poitrine et le ventre. Je me tourne sur le côté en relevant mes genoux. Violette est déjà levée, mais la forme de son corps se dessine encore en creux sur les draps, juste à côté de moi. J'essaie de respirer profondément. Mes poumons me font mal…

Bientôt, Violette revient de la cuisine avec du café. Tout en me massant légèrement l'estomac, je repense à Rose. C'est aujourd'hui que je dois la rencontrer. Ça me gêne un peu. Est-ce bien le moment d'évoquer une autre femme maintenant, même s'il s'agit de ma mère ? Bah, inutile de m'inquiéter. Autant attendre que Violette en parle la première.

Cependant, le petit déjeuner se passe sans que Violette fasse la moindre allusion à Rose. Le café me semble amer et j'y touche à peine. Violette, elle, chantonne en allant et venant, sans trop se préoccuper de moi. Je commence à m'interroger sur les véritables relations qui la lient à ma mère.

Je ne suis pas expert en psychologie féminine, loin de là, surtout en ce qui concerne les femmes de l'an 2000 dans l'Ouest canadien, mais je me demande si elles ne sont pas plutôt rivales qu'amies. Violette ne sait pas ce que Rose est vraiment pour moi. Rose n'est peut-être, pour elle, qu'une sorte d'idole que je cherche aveuglément à approcher, une femme fatale. Ne tire-t-elle pas une certaine satisfaction de lui avoir ravi un homme qui la cherchait sans même paraître voir les autres femmes?

Ma question va même plus loin. Violette a-t-elle vraiment l'intention de me présenter ma mère? Je la regarde à la dérobée. Non, pourtant, je ne décèle dans son attitude ni ruse ni calcul. Elle semble heureuse, simplement heureuse... Un élancement au ventre m'arrache soudain un rictus de douleur.

— Allons, ne fais pas cette tête, fait-elle gentiment en remarquant ma grimace. On dirait qu'on vient de t'annoncer une mauvaise nouvelle.

— Non, non, quelques courbatures, tout au plus. La cuisine française, peut-être... En fait, je ne me suis jamais senti aussi jeune. J'ai l'impression d'avoir commencé une nouvelle vie. Mais...

Une nouvelle crampe me force à m'interrompre.

— Mais…? répète Violette qui m'observe maintenant avec intérêt.

— L'avenir me fait peur, et je ne sais rien de mon passé. Je suis en équilibre dans le présent comme sur une corde raide. J'ai le vertige…

J'ai le vertige, effectivement, et des nausées. Mon front se couvre d'une sueur glacée.

— Tu es une véritable énigme pour moi, Nemo, reprend Violette en venant s'asseoir près de moi. Je ne sais pas comment expliquer. Je te sens très proche, familier presque, mais en même temps très lointain. Comme… comme si tu venais d'un autre monde…

J'ouvre la bouche pour lui dire qu'elle ne croit pas si bien dire, mais je la referme aussitôt. À quoi bon tout gâcher par la révélation d'une vérité qu'elle ne pourrait en aucun cas admettre ? Je suis déchiré entre mon désir de m'ouvrir à elle sans réserve et cette impossibilité dans laquelle je suis de le faire sans qu'elle me prenne pour un fou.

Violette doit bien se rendre compte de mon malaise. Tout en me fixant de ses yeux noisette, elle reprend avec un sourire :

— Je ne comprends pas très bien qui tu es, Nemo, mais je me demande si tu es beaucoup plus avancé toi-même…

— C'est vrai, je suis un peu perturbé. Je me sens… hors de moi-même. Un autre. J'aimerais simplement savoir d'où je viens. C'est d'ailleurs pour ça que je suis venu à Calgary. J'y suis né, mais c'est pratiquement tout ce que je sais de ma naissance. Si seulement Rose…

— Mais pourquoi penses-tu qu'elle seule pourrait t'aider ?

La voix de Violette s'est faite plus dure, tout à coup. Je suis gêné pour continuer. Comment lui parler de ma mère, qui doit avoir environ vingt-cinq ans, alors que j'en ai manifestement plus de quarante ? C'est sans solution. Et d'ailleurs, même si je rencontre Rose, aujourd'hui, que pourrai-je lui dire ? Est-ce que je devrai me contenter de la regarder avant de disparaître pour toujours ?

— Je ne sais pas comment t'expliquer, dis-je en secouant la tête. C'est impossible.

Rose est irremplaçable pour moi. Je… je lui dois tout…

— Mais alors pourquoi ne m'a-t-elle jamais parlé de toi ? s'exclame Violette. Ni elle ni personne. Je n'ai jamais entendu prononcer ton nom auparavant.

— Ce nom n'est pas seulement le mien.

Violette a un petit sourire narquois.

— C'est vrai, dit-elle. Il y a l'autre Nemo. Ce Nemo sans ombre, sans papiers, sans substance. Mais comment veux-tu que j'y croie ? Tu m'en demandes vraiment beaucoup.

— Rose me croira, j'en suis sûr.

Violette soupire. Elle a maintenant un soupir amer.

— Rose Selavy, dit-elle en secouant la tête. Je crains bien que la Rose Selavy que tu cherches n'existe que dans ton imagination. Elle n'est pas plus réelle que ton Nemo Higgs bis…

— C'est impossible, voyons ! Tu m'as dit toi-même que tu allais me la présenter, qu'elle était d'accord pour me rencontrer !

— Elle était d'accord, oui, bien sûr. Parce qu'elle pensait que tu étais prêt à jeter le masque, à dire qui tu es vraiment et ce pour quoi tu veux la rencontrer. Mais je vois que tu n'es pas encore prêt. Tu n'es pas clair, Nemo. Il y a trop de choses cachées en toi, trop d'obscurité, trop de menaces peut-être. Je crois que Rose ne te verra pas.

J'ai l'impression qu'on m'enfonce un poignard dans le ventre. Pourquoi ce revirement soudain? Quel jeu joue Violette, maintenant? Pourquoi m'a-t-elle mené en bateau? Jusqu'ici, j'ai cru qu'elle protégeait ma mère et je trouvais ça plutôt rassurant, mais je me demande à présent en quoi consiste cette protection. Ne s'agit-il pas plutôt d'une sorte de séquestration? Où se trouve ma mère, et dans quel état? Est-elle malade? Est-elle... déjà morte?

La douleur dans mon ventre est insupportable, comme si quelque chose, au plus profond de moi, voulait s'arrêter de fonctionner. Mes poumons me brûlent. Je ne peux plus rester ici, il faut que je sorte. Je dois respirer!

Je suis pris soudain d'atroces coupements de ventre et d'une irrépressible envie de vomir. Je me précipite vers les toilettes, dans lesquelles je m'enferme. Je me retiens au bord du lavabo pour ne pas tomber, l'espace se met à tourner tout autour de moi, je chancelle… Puis, brusquement, tout devient noir…

12
Hiver

Je me réveille dans mon lit. Enfin, dans un lit. Il fait si noir que je ne sais absolument pas où je suis. Il n'y a pas un bruit. Je suis seul. Comment suis-je arrivé là ? Je ne sais pas s'il fait jour ou nuit, je n'ai aucune notion du temps. J'ai l'impression de flotter dans un espace provisoire dans lequel je n'ai pas encore ma place…

Pourtant, je me sens un peu mieux. Moins mal, devrais-je plutôt dire. Mon envie de vomir est passée et, si j'éprouve toujours un malaise général, celui-ci n'est pas localisé dans un organe particulier. Je me sens surtout extrêmement fatigué. Couché en chien de fusil, je n'ai pas la moindre envie de me lever.

La dernière vision d'avant mon évanouissement est celle de Violette, stupéfaite, me regardant me précipiter vers la salle de bains. Violette… Que m'est-il arrivé exactement ? Suis-je toujours chez elle, dans son lit ? Je ne crois pas. Ces draps sentent le neuf, ils n'ont pas la douceur de ceux de Violette. On m'a sans doute transporté ailleurs. Pourquoi ?

Manifestement, je ne me trouve pas dans un hôpital. L'odeur n'est pas celle d'un hôpital. Cet endroit dégage une sorte de parfum doux et tiède que je n'arrive pas à définir. Un parfum charnel, peut-être. Animal, enveloppant, réconfortant. Mais ce n'est peut-être que le fruit de mon imagination…

Puis mes pensées me ramènent à ma mère. Je suis persuadé maintenant que tout est fini, que je ne la verrai jamais. Tous mes espoirs sont réduits à néant… J'ai l'impression de m'être fait avoir depuis le début, de n'être dans cette histoire qu'un pantin sans importance, sans volonté, un simple prétexte.

Violette doit bien rire. Elle est pire que Sonia, dans le fond. Elle m'a utilisé, elle m'a soutiré des renseignements, et puis elle a tiré de moi un dernier petit plaisir avant de me jeter au rebut comme un mouchoir usagé.

Et pourtant, curieusement, je n'éprouve aucun ressentiment envers elle. Je repense à ses questions, à sa façon de me regarder quand je lui parlais de Rose. Quelle attitude bizarre ! Pourquoi cette barrière infranchissable édifiée autour de ma mère ? À quel point elle devait la connaître pour savoir aussi sûrement ce qu'elle allait dire, ce qu'elle allait penser ! Le seul fait d'ignorer quelque chose au sujet de Rose lui paraissait invraisemblable. Comment pouvait-elle en être aussi sûre ?

Je me demande… Non. Je ne me demande rien. Je préfère ne pas me demander… J'entrevois quelque chose d'horrible. Je suis fatigué, je ne veux plus penser…

Je me tourne et me retourne dans mon lit. Toujours aucune envie de me lever. J'ai dû me rendormir, tout à l'heure. Combien de temps ? Toujours le noir. Et le silence. Il fait nuit, sans doute. Ou bien je suis enfermé quelque part où le soleil n'arrive jamais…

Péniblement, j'essaie de me rappeler comment tout a commencé. Cette découverte curieuse dans une cave oubliée de Calgary, puis le souterrain aux rats de Toronto. Et maintenant ce caveau mystérieux dans lequel j'agonise lentement… Mon parcours n'est qu'un labyrinthe de boyaux ténébreux…

Ce silence! J'ai l'impression d'entendre le sang battre à mes oreilles, à mes tempes. Je baigne dans ce battement rythmé comme dans un liquide protecteur. Recroquevillé dans ce lit, je me laisse aller.

Une lumière, violente. Je me réveille en sursaut. La lumière jaillit de l'encadrement d'une porte qu'on vient d'ouvrir. Elle est en partie masquée par une ombre. L'ombre s'approche lentement de moi. Tout mon corps se crispe dans un mouvement de défense. Dirac?

Non. C'est une femme. Elle m'appelle doucement par mon nom. Je connais cette voix, c'est une voix familière mais voilée, si bien que je n'arrive pas à l'identifier. L'ombre se penche sur moi.

— Nemo?

Sonia ? Sa voix est fatiguée, grise. Peu à peu mes yeux s'habituent à la lumière et je la distingue enfin. C'est bien Sonia, mais vieillie, empâtée. Elle semble accablée de lassitude.

— Où suis-je ? dis-je d'une voix faible.

— Chez moi. Je ne suis plus au motel, j'ai loué une petite maison dans le sud de la ville et je t'y ai installé. Tu es en sécurité, ici.

— Que m'est-il arrivé ?

— Je ne sais pas exactement. Deux jours après ta rencontre avec Dirac, tôt le matin, ton amie m'a téléphoné. Elle avait l'air catastrophée. Il s'agissait de toi et elle me demandait de la rejoindre immédiatement chez elle. Je ne te cacherai pas que je n'étais pas d'attaque. Depuis deux jours, je n'étais pas allée au labo.

— Tu es malade ?

— Malade, non, pas vraiment. Fatiguée, simplement. Exténuée. J'ai tout de même sauté dans un taxi et j'y suis allée. Tu étais là, inanimé, étendu sur le lit de cette fille. Elle t'avait déjà examiné et je l'ai fait à mon tour. Nos conclusions étaient identiques : apparemment, tu n'avais rien.

— Mais comment suis-je arrivé ici ? Je ne me souviens de rien.

— Il était hors de question de t'emmener à l'hôpital. Tu n'as aucune identité, ici, et nous aurions eu des problèmes. De toute façon, j'en avais déjà assez de ce motel minable près de la Transcanadienne. Le jour même j'ai loué une petite maison meublée près du parc de Fish Creek et nous t'y avons transporté en voiture. Tu es resté une semaine sans reprendre connaissance. Je t'ai installé au sous-sol, personne ne sait que tu es là. À part… cette fille.

— Violette ? Où est-elle, maintenant ? Que t'a-t-elle dit ?

— Écoute, Nemo, il est inutile de continuer à me mentir, à présent. J'ai tout compris. Cette fille ne s'appelle pas plus Violette que moi, et tu le sais très bien. Je ne l'avais pas reconnue parce que je n'ai pas l'habitude de lire les journaux, mais, pour me distraire intelligemment pendant mon inactivité forcée, Dirac m'a fait parvenir tout un dossier de presse sur les groupes qui le gênent dans ses travaux. La photo de ta Violette était au premier rang.

C'est elle qui dirige le groupe le plus viru-
lent, une association d'écologistes extrêmement bien informés, The Wild Rose of
Alberta.

— Tu veux dire que Violette...

— Ne fais pas l'innocent, Nemo. Tu
sais parfaitement que c'est elle le person-
nage clé dans toute l'affaire et que son
véritable nom est Rose Selavy!

Violette... Rose! Bien sûr... Depuis le
début, c'est ma mère que j'ai côtoyée
presque chaque jour sans le savoir! Je
comprends tout, maintenant. Pourquoi
elle repoussait sans cesse le moment de me
révéler sa véritable identité. Comment
pouvait-elle me croire quand je lui affir-
mais que Rose Selavy était pour moi la
plus importante personne au monde alors
qu'elle ne m'avait jamais vu et n'avait
jamais entendu parler de moi? Mais pour
qui m'a-t-elle pris?

Je suis atterré. Que puis-je répondre à
Sonia? Bien sûr, j'ai enfin rencontré ma
mère, c'est ce que je voulais. Mais je ne me
suis pas contenté de l'embrasser sur la
joue! Cette nuit que nous avons passée
ensemble... Grisé par ce rêve, je n'ai pris

aucune précaution. Et Rose ? Elle non plus, c'est évident. L'aberrante vérité m'apparaît enfin, insensée, monstrueuse… On n'échappe pas au temps. Ma mère est enceinte de moi ! Je vais naître bientôt, le 13 avril 2001, et mon père…

Je suis mon propre père !

Sonia est repartie. Que va-t-il advenir maintenant ? Je suis ici, en train de m'éteindre pitoyablement, et en même temps dans le ventre de ma mère, en train de croître, de me développer, de multiplier mes cellules à une vitesse vertigineuse. Sonia a raison, je ne suis pas malade. Je n'ai rien, absolument rien. Mon extrême fatigue vient d'ailleurs. Je disparais, je me vide de ma substance, de mon moi, de ma vie, je suis aspiré par ce petit monstre cannibale qui verra bientôt le jour et s'appellera Nemo Higgs !

Manifestement, Sonia ne sait rien. Mais Rose ? Évidemment, elle appellera ce bébé Nemo, comme son père, mais saura-t-elle un jour que cet enfant et l'homme avec qui elle l'a conçu ne sont qu'une seule et même personne ?

Je suis là, allongé sur un lit, impuissant. On ne peut pas changer le passé. Mon existence n'est qu'une erreur dans la trame du temps, un faux pli, un accroc, un point noir qui va se dissoudre, se résorber de lui-même…

Nemo Higgs va naître, grandir. Il fera de médiocres études à Toronto et travaillera ensuite pour une administration douteuse nommée Bureau de surveillance des industries alimentaires. Il y effectuera son travail sans se poser de questions. Et sa dernière mission le renverra ici, sur le lieu de sa naissance, où il rencontrera sans le savoir Rose Selavy… Et la boucle infernale sera bouclée ! Une boucle sans fin…

Sonia vient me voir de temps en temps. Elle me nourrit à la petite cuillère, comme un bébé. Je n'ai plus aucune force. Je la regarde d'un œil éteint. Elle a changé. Beaucoup de ses cheveux sont blancs, il me semble. Elle a grossi, ses traits s'affaissent, son visage est envahi de rides. J'ai de plus en plus de mal à la reconnaître

Comment va la mission ? Peu m'importe la réponse. Je ne suis déjà plus de ce monde. Je crois comprendre, cependant, que Sonia a quitté la Western Wild Food. De sa propre initiative ? Elle ne m'en parle plus. Je crois qu'elle déteste Dirac. En revanche, elle voit souvent Rose, elle me l'a confié. Mais pourquoi ma mère ne vient-elle pas me voir ?

Dehors, c'est l'hiver. Sonia me l'a chuchoté à l'oreille. Depuis combien de temps suis-je là, à cheval entre deux mondes, non pas entre la vie et la mort, mais entre la vie et une autre vie ? Entre deux moi-même ! J'entends à peine ce qu'elle me dit. Moi, je délire doucement. Je parle de Rose. J'en rêve à voix haute, plutôt. Enfin, je crois...

— Rose est malade, me dit Sonia. Sa grossesse se passe très mal. T'avais-je dit qu'elle était enceinte ? Cinq mois, déjà...

Je ne réponds pas. Articuler le moindre mot me coûte trop d'efforts. Sonia reste près de moi comme une ombre, puis elle disparaît.

Un faible chuchotement me réveille. Quel jour sommes-nous ? Ma vue est très faible maintenant, mais je discerne deux ombres près de mon lit. Deux vieilles femmes. L'une d'elles se penche sur moi.

— Nemo?

La voix de ma mère… Rose!

C'est tout ce que j'entends. Je ne peux même pas lui sourire! Je suis totalement paralysé, pratiquement aveugle, presque sourd… Je sens vaguement une odeur de printemps qui imprègne ses vêtements. Je voudrais lui dire, crier… «Maman!»

Mais je ne peux plus bouger, plus parler. Mon corps ne m'appartient déjà plus…

Aujourd'hui, 13 avril. Il y a comme… je ne sais pas…

C'est fini…

13
Extrait du journal de Rose

20 avril 2001 :

J'ai accouché avec quinze jours d'avance, il y a maintenant une semaine. Une délivrance ! Je n'en pouvais plus… J'ai l'impression d'avoir pris vingt ans en neuf mois.

Les médecins m'ont regardée bizarrement, à la clinique. Heureusement, Sonia veillait et elle les a fait taire. Elle me protège jalousement, comme une louve. Quand je pense qu'à son arrivée ici, elle m'aurait tuée avec plaisir !

Je me suis longtemps méfiée d'elle. De Nemo aussi, il faut le dire. Deux agents de la WWF chargés, sinon de nous éliminer, du moins de nous neutraliser. Et puis, très vite, j'ai soupçonné que Nemo ne jouait plus le jeu, qu'il se fichait pas mal de la WWF et des expériences de Dirac, et qu'il était venu à Calgary dans une autre intention, beaucoup plus personnelle.

Cependant, jusqu'au bout, je ne l'ai pas cru. Comment aurais-je pu? Il prétendait me connaître, avoir besoin de moi, il affirmait que j'étais sa raison de vivre… Insensé!

C'est pourtant cette espèce de folie qui me l'a rendu sympathique. S'il avait joué la comédie pour me séduire ou me pour tromper, il s'y serait pris autrement. Mais sa maladresse même me prouvait qu'il ne mentait pas.

Et puis, manifestement, il n'obéissait plus aux directives de ses patrons. Il semblait être passé de notre côté. Je ne comprenais pas son jeu, mais je sentais qu'il était sincère. Je dois aussi avouer une chose: il me plaisait beaucoup, malgré ces zones d'ombre dans sa personnalité. Une attirance que je ne m'expliquais pas…

J'avais depuis longtemps envie d'un enfant. Depuis l'affaire de la manifestation

contre la Northern Oil, j'avais dû m'évanouir dans la nature et changer d'identité.
Je me savais menacée, sachant très bien
que les gens qui employaient Pauli et
Dirac n'utilisaient pas que des méthodes
douces... Je n'osais plus voir personne, à
part quelques amis de la Wild Rose. Et
Nemo...

Les choses se sont faites comme ça.
Nemo m'intriguait, me fascinait. N'ayant
de toute façon aucun projet matrimonial
en tête, j'avais donc décidé de profiter de
mes vacances forcées pour sauter le pas et
pour faire un enfant. Avec lui. Et puis, je
me disais qu'après, il aurait plus de facilité
pour me dévoiler enfin son mystère...

La suite a été déroutante. Après cette
nuit d'amour, Nemo est brusquement
tombé malade, terrassé par une crise
inexplicable. Puis il s'est évanoui et s'est
mis à délirer, sans avoir repris connaissance. Moi-même, je me sentais affreusement mal, incapable d'agir, de prendre la
moindre décision.

Deux noms revenaient sans cesse dans
ses divagations fiévreuses: le sien et le
mien. Et puis, de temps en temps, celui de

Sonia. Je savais maintenant qui elle était. Que faire d'autre ? Je l'ai appelée.

Sonia est arrivée très vite. Elle m'a dévisagée avec surprise. Pour ma part, j'étais stupéfaite. J'ai bien failli ne pas la reconnaître : en deux semaines, elle paraissait avoir vieilli de dix ans ! Nous sommes restées ainsi un long moment à nous regarder, incrédules. Puis je l'ai conduite à Nemo.

— Il faudrait peut-être l'emmener à l'hôpital ? ai-je suggéré.

— Impossible, a répondu Sonia d'un ton catégorique. Il faut surtout le mettre à l'abri.

Elle a eu l'air de réfléchir un long moment, puis m'a dit avoir repéré une petite maison à louer dans le sud de la ville, en bordure du parc provincial de Fish Creek.

— Ce sera un endroit idéal pour Nemo, a-t-elle ajouté. Je m'occuperai de lui.

Deux jours plus tard, très tôt le matin, je l'aidais à transporter Nemo chez elle. Un petit pavillon avec vue sur les arbres du parc.

Pour ma part, je n'allais pas mieux. De retour chez moi, je me suis allongée, en proie à des nausées et à des migraines insoutenables.

Par la suite, ça ne s'est pas arrangé. Toute ma grossesse a été un calvaire, je l'ai presque toute passée au lit, à peine capable de me lever pour me nourrir.

Heureusement, Sonia est revenue me voir souvent. Elle me donnait des nouvelles de Nemo, qui semblait dépérir tout en ne présentant aucun symptôme de maladie connue. Elle me posait aussi beaucoup de questions. Sur Pauli, sur Dirac, sur leurs expériences. Sur les rats...

Un jour, elle m'a annoncé qu'elle ne retournerait plus à la WWF, qu'elle avait enfin compris. Elle semblait désespérée. Elle regardait avec désolation ses mains couvertes de taches, son ventre gonflé ; elle caressait son front ridé...

— Je suis devenue comme les rats de Pauli, m'a-t-elle dit, les larmes aux yeux. Énorme, sans force. J'ai perdu toute vitalité. Je n'ai pas trente ans mais je ne suis plus qu'une épave, un rebut. Et c'est à cause de lui et de ces ordures de la Western Wild Food!

— Comment? ai-je demandé. Il y a eu de nouvelles expériences? Tu t'es exposée à des radiations, à des vapeurs toxiques?

— Non, non, a fait Sonia d'une voix faible en secouant la tête. Ce n'est pas ici que ça s'est passé. Pas ici, pas maintenant... Pas encore...

— Où? quand?

— Tu ne me croiras pas. Tu n'aurais aucune raison de me croire...

Elle s'est tue un moment, puis a repris à voix basse, comme pour elle-même:

— Et pourtant, j'en suis convaincue maintenant: c'est à cause de ces produits dont j'ai été gavée pendant toute mon enfance et ma jeunesse que je suis aujourd'hui à bout de souffle. Mon corps a donné tout ce qu'il pouvait, il est fini, vidé, exsangue. Je vais vieillir maintenant à une vitesse vertigineuse...

— Tu délires, Sonia!

— Hélas! J'ai lu les derniers rapports de Pauli. Je n'étais pas censée le faire. Dirac les a détruits, mais j'ai eu le temps de les voir avant. Les résultats sont effrayants, Rose. Les rats soumis au régime de Pauli grandissent plus vite, plus fort. Ils perdent leur agressivité et ont l'air en pleine santé, c'est très bien, mais… immanquablement, à un tiers de leur espérance de vie ordinaire, leur métabolisme se dérègle subitement et ils vieillissent en accéléré, en quelques semaines à peine, jusqu'à la mort.

— Je m'en doutais, ai-je dit. J'ai toujours pensé que ce genre d'alimentation de synthèse avait des effets incontrôlables sur le système hormonal. Mais ton cas, Sonia, je ne comprends pas comment… Pauli ne t'a tout de même pas mise à sa diète? Pourquoi serais-tu atteinte?

Sonia a baissé la tête et s'est mise à pleurer, longuement. Elle semblait perdue, incapable de retenir plus longtemps un désespoir qui lui rongeait le cœur et l'âme.

C'est alors qu'elle m'a confié ce secret incroyable, ce même secret que Nemo a porté avec lui comme un fardeau insupportable et qu'il n'a jamais pu se résoudre à me dévoiler. Elle m'a parlé d'une voix sourde et monocorde, les yeux dans le vague, sans même chercher à me convaincre. Elle m'a parlé de l'époque d'où elle venait, d'où venait Nemo…

2044! La toute-puissance des entreprises alimentaires, qui ont repris les recettes de la WWF ruinée afin de les exploiter à l'échelle planétaire, la mission dont Sonia a été chargée avec Nemo, l'étrange comportement de celui-ci, si loin de son efficacité habituelle…

Et là, brusquement, j'ai tout compris! La quête désespérée de Nemo, ses questions incompréhensibles. Il recherchait sa mère… Sa mère! Il me cherchait! Cet homme qui voulait me rencontrer, moi dont sa vie allait dépendre sans que nous le sachions ni l'un ni l'autre, cet homme était mon fils! J'ai cru étouffer sous le poids de cette révélation. Je me suis évanouie…

J'ai voulu le revoir. J'ai voulu revoir mon fils. Tant bien que mal, Sonia m'a un jour emmenée chez elle. J'arrivais à peine à marcher. Elle m'a conduite à la chambre de Nemo.

M'a-t-il reconnue? Il reposait sans mouvement sur son lit, les yeux clos, recroquevillé sur lui-même comme un fœtus, épouvantablement amaigri. Pesait-il seulement trente kilos? Quarante?

Il m'a semblé voir ses yeux s'agiter sous ses paupières. Je l'ai appelé doucement, je lui ai parlé. J'ai cru sentir un souffle s'exhaler de sa bouche entrouverte, mais il n'a pas bougé. Je suis repartie, la mort dans l'âme, en tenant mon ventre.

Dans la voiture de Sonia je me suis retenue mais, en arrivant chez moi, je me suis effondrée en larmes. Je n'ai pas eu besoin de lui expliquer en détail, elle a vite compris.

— Nemo ne mourra pas, m'a-t-elle dit pour me consoler. Il ne mourra jamais. Il renaîtra sans cesse, comme le phénix, sans savoir que sa vie est une boucle ininterrompue qui se joue du temps…

De nouveau, j'ai éclaté en sanglots. Sonia a passé son bras autour de mes épaules et elle a déclaré d'un ton énigmatique:

— On ne peut pas modifier le passé, Rose, mais je sais maintenant que je resterai avec toi jusqu'au bout. Je sais ce que j'ai à faire, je m'occuperai de tout.

Le printemps est revenu. Le 12 avril 2001, j'ai perdu les eaux et Sonia m'a transportée à l'hôpital. Nemo est né le lendemain, à neuf heures du soir...

14
Sonia et Rose

9 juillet 2001 :

Aujourd'hui, le Stampede commence. Les rues sont pleines de cow-boys et la bière coule à flots. Il y a un an, à Toronto, je rencontrais Nemo et Sonia.

Cela fait déjà quelques mois que la WWF ne fait plus parler d'elle dans la presse. Le programme alimentaire de la réserve Sarcee a été arrêté depuis longtemps, les journaux s'intéressent maintenant à autre chose. Pourtant, Dirac est toujours là. La Wild Rose le surveille de loin.

Sonia est venue s'installer avec moi dans un nouvel appartement que nous avons loué sous de faux noms. Elle a liquidé son pavillon près du parc. Cette maison lui faisait froid dans le dos, a-t-elle dit. Quand elle y est retournée, au lendemain de l'accouchement, Nemo avait disparu. Il ne restait sur le lit que ses vêtements devenus trop grands et la trace, à peine visible, de son corps sur les draps.

Elle m'a dit qu'il n'avait cessé de maigrir jusqu'au bout, jusqu'à ne devenir qu'une sorte de fantôme léger et diaphane, une image floue, fuyante...

Mais Nemo est là aussi, dans mes bras, à peine plus lourd mais bien vivant. Dans la journée, je le laisse à une nourrice qui s'en occupe, ce que je suis incapable de faire moi-même à cause de cette faiblesse qui ne me quitte plus. Je ne le vois que le soir. C'est un gros bébé souriant qui n'a cure ni de mes rides ni de mon essoufflement.

Sonia aussi a tout à fait l'air d'une vieille femme, maintenant. Nous nous ressemblons! C'est curieux. Je n'ai pourtant jamais absorbé le moindre gramme des ces aliments frelatés fabriqués par la WWF. Pourquoi ai-je donc vieilli autant, moi aussi?

Je crois le deviner, bien que je ne m'explique pas clairement le mécanisme du phénomène. Pendant presque neuf mois, j'ai porté dans mon ventre un être qui n'était, comment dire… pas neuf. Un être qui était à la fois lui-même et son père. Mon horloge biologique en a été complètement bouleversée. C'est peut-être ça qui m'a contaminée. Contaminée… Le mot me fait frissonner. Et pourtant, le fait est là. Nemo a retrouvé sa jeunesse, mais moi je suis au bout du rouleau…

Depuis quelques jours, j'ai remarqué que Sonia est très agitée, mais elle n'a pas voulu me dire pourquoi. Ce matin, pourtant, elle m'a avoué ce qui la tracassait.

— Demain, cela fera un an que je suis ici, Rose. Dans ce temps qui n'est pas le mien. Un an, c'était la durée fixée pour notre mission. Je n'ai aucun contrôle sur le temps. Demain soir, je vais m'évanouir et disparaître pour me réveiller en 2044, quelques fractions de seconde à peine après avoir plongé dans le passé. Mais il sera trop tard. Je suis partie jeune femme pleine d'avenir, je reviendrai vieillarde, bonne pour l'asile.

— *Et puis on ne te félicitera pas, je suppose. Tu n'as pas fait ce qu'on attendait de toi.*

— *Non. Cette mission aura été un fiasco total. Tant mieux. De toute façon, je m'en rends compte maintenant, l'échec était prévisible. On ne peut pas modifier le temps. Je ne retournerai pas là-bas, Rose. Je resterai avec toi jusqu'au bout, je te l'ai dit. Il ne nous reste pas beaucoup de temps, à toi aussi il est compté. Mais il nous reste quelque chose à accomplir…*

Sonia ne m'en a pas dit plus. Elle est retombée dans un mutisme obstiné. Ce qu'il nous reste à accomplir, comme elle dit, semble lui faire peur et elle n'ose pas en parler. Cependant, l'heure passe. La nuit s'approche. Dans moins de vingt-quatre heures, elle s'évanouira dans les ténèbres pour se retrouver en 2044. Comment pourrait-elle y échapper?

Soudain, à dix heures du soir, Sonia semble se réveiller. Elle sort de sa prostration, se lève. Je lis dans son regard la plus froide détermination.

— *Rose, me dit-elle en me fixant intensément. C'est ce soir ou jamais. Pendant*

les quarante années à venir, les entreprises comme la WWF ou la Northern vont se développer et empoisonner le monde. Nous ne pouvons rien y changer. Mais après? J'ai été envoyée ici pour truquer des documents, pour semer de fausses traces, pour falsifier la vérité. Je ne l'ai pas fait, c'est vrai, mais ce n'est pas suffisant. Il me reste une dernière chose à faire, et tu dois venir avec moi. C'est pour ça que tu te bats depuis des années...

— *Et Nemo?*

— *Nemo? fait-elle avec amertume.*

Sonia regarde l'enfant endormi dans mes bras. Une profonde tristesse voile soudain ses yeux.

— *Confie-le à sa nourrice. Tu as confiance en elle, n'est-ce pas? De toute façon tu ne peux plus faire grand-chose pour lui, regarde-toi, regarde-nous...*

De quoi avons-nous l'air, en effet? Grises, voûtées, ridées. Des grands-mères... Dire que je n'ai que vingt-cinq ans, et Sonia guère plus!

Elle a raison. Même le temps ne peut plus rien pour nous. La nourrice habite tout près. Je l'appelle. Elle a l'habitude.

Combien de temps pourra-t-elle garder Nemo, je n'en ai aucune idée. Moi, je ne peux plus rien, je ne suis déjà plus de ce monde...

Minuit. J'ai embrassé Nemo une dernière fois en réprimant mes larmes. Sonia a appelé un taxi. Quelques minutes plus tard, deux silhouettes fragiles et fatiguées quittent la maison à pas feutrés.

Je n'exprime aucune surprise quand Sonia donne au chauffeur l'adresse du labo de la WWF, dans une zone industrielle du sud-est.

L'endroit est lugubre à souhait. Désert. Sonia en possède toujours les clés et les codes du système de sécurité.

— Ils ne les ont même pas changés, les imbéciles! murmure-t-elle en ricanant.

Nous descendons plusieurs escaliers, nous arrêtant à chaque palier pour reprendre haleine. Sonia me conduit sans hésiter à travers un dédale de couloirs et de laboratoires dont l'odeur me soulève le cœur.

Nous nous arrêtons enfin devant une porte blindée. Sonia en connaît le mécanisme. Nous entrons.

Cette pièce nue et froide respire l'angoisse. Épuisée, je m'étends sur le sol. Je n'en peux plus. Je sais maintenant que je ne bougerai plus. Sonia s'allonge près de moi.

Enfin, dans un claquement sinistre qui résonne longtemps à mes oreilles, la porte de notre tombeau se referme sur nous…

15
Une note de Robert Planck

L'affaire WWF aura été un échec sur toute la ligne.

Sonia et Nemo ont définitivement disparu dans le passé. Leur absence n'aurait même pas dû être mesurable, mais les techniciens ont eu beau s'escrimer sur la machine pendant des heures après leur départ, rien n'a pu les faire revenir. Que s'est-il passé exactement? Quelle faille dans le système? Personne n'a été capable de l'expliquer.

J'ai pourtant ma petite idée là-dessus. Ce n'est pas le système qui s'est planté. L'affaire était foireuse. Dès le départ, j'étais contre. Mais Sonia brûlait de s'illustrer dans une action d'éclat et elle avait réussi à persuader le big boss. On peut dire qu'elle a gagné le gros lot !

Tout s'est fait trop vite, beaucoup trop vite. Il aurait fallu attendre au moins les résultats de l'autopsie. C'est vrai que les médecins étaient salement gênés. Ils ont mis plus de trois semaines avant de remettre leur rapport. Et pour cause ! Comment expliquer au grand patron que l'une de ces deux jeunes femmes mortes de vieillesse n'était autre que... Sonia Heisenberg en personne ! Sonia Heisenberg, instigatrice du projet WWF 2000, et sa première victime !

On ne peut pas changer le passé, disait-elle. Peut-être, peut-être... Mais pour ce qui est de l'avenir, en tout cas, ça s'annonce plutôt mal pour nous. Comme je m'y attendais, la découverte des cadavres de Calgary a été éventée et elle a fait du bruit. Nous avons déjà les Japonais et les Européens sur le dos, dossiers médicaux et études nationales à l'appui. Les cas de vieillissement accéléré comme celui dont Sonia elle-même a souffert apparaissent un peu partout dans le monde. On nous en rend bien sûr responsables. Quelque chose me dit que je ne vais pas faire de vieux os ici, et que les jours du BSTA sont comptés.

Dans le cas de Sonia, j'imagine que le choc du voyage dans le temps n'a pas été pour rien dans le déclenchement de sa maladie, mais ça n'empêche pas que nous avons maintenant le monde entier à nos trousses.

Quant à la jeune femme qui a accompagné Sonia dans sa mort, une nommée Rose Selavy, de Calgary, c'est seulement ce matin qu'un documentaliste que j'avais mis sur le coup m'a apporté un dernier renseignement: cette femme n'était autre que la mère de mon meilleur agent, Nemo Higgs !

Sale affaire, vraiment. Je n'ai plus qu'à disparaître sur une île déserte. Mais en reste-t-il, au moins?

Note:
Le paradoxe de Schrödinger

Il est question, à la fin du troisième chapitre, du paradoxe du chat de Schrödinger. L'utilisation qui en est faite ici est bien sûr abusive car on a découvert depuis pourquoi la superposition d'états différents – mort et vivant, ici et ailleurs, onde et corpuscule – ne peut s'appliquer qu'aux particules élémentaires étudiées par la physique quantique et non pas aux êtres vivants, ni même à une simple feuille de papier.

Schrödinger, physicien autrichien (1887-1961), un des pères de la physique quantique, avait imaginé ce paradoxe afin

d'illustrer l'absurdité de la théorie quantique lorsqu'on tente de l'appliquer aux objets complexes, notamment en ce qui concerne cette fameuse superposition d'états qui caractérise le comportement des particules élémentaires (un électron peut être à la fois en plusieurs endroits différents; un atome peut être à la fois intact et désintégré; la lumière, une onde et une particule, etc.).

Durant ces dernières années, les physiciens ont étudié de plus près ce paradoxe qui avait fait couler beaucoup d'encre et suscité de nombreux débats (certains allant même jusqu'à affirmer que c'est la conscience même de l'observateur qui crée la réalité, celle-ci n'étant auparavant qu'une simple possibilité).

Récemment, on a finalement montré comment la superposition d'états est détruite par l'échange d'information et les interférences entre les objets quantiques, qui augmentent d'autant plus que les objets deviennent complexes. Ce phénomène est nommé décohérence et, dans le cas d'objets de la taille d'un chat ou d'une feuille de papier, il intervient si rapidement qu'aucun instrument de mesure, si précis soit-il, ne serait capable d'en percevoir le déroulement.

TABLE DES MATIÈRES

**Laurent
Chabin**

Laurent Chabin est un auteur prolifique qui pratique divers genres : roman, nouvelles, policier, science-fiction… Il écrit avec autant de bonheur pour les jeunes et moyens lecteurs que pour les adultes.

Français d'origine, il a roulé sa bosse dans plusieurs pays avant d'émigrer au Canada. Avec femme et enfants, il s'est installé à Calgary, en Alberta, et passe son temps à écrire en admirant les montagnes Rocheuses dans le lointain.

COLLECTION CHACAL